O MENSAGEIRO DA CRUZ

T. S. (Watchman) Nee

O MENSAGEIRO DA CRUZ

Tradução
João Batista

2. edição revista

Vida

Vida

Editora Vida
Rua Júlio de Castilhos, 280 Belenzinho
CEP 03059-000 São Paulo, SP
Tel.: 0 xx 11 2618 7000
Fax: 0 xx 11 2618 7044
www.editoravida.com.br

Editor responsável: Gisele Romão da Cruz Santiago
Revisão de provas e do Acordo Ortográfico: Josemar de Souza Pinto
Assistente editorial: Alexandra Nascimento Resende
Diagramação e projeto gráfico: Claudia Fatel Lino
Capa: Arte Peniel

Título original *The Messenger of the Cross*

As citações bíblicas foram extraídas da *Bíblia Sagrada*, Edição Revista e Atualizada (*ARA*), trad. João Ferreira de Almeida. São Paulo: SBB, 1993.

Todas as citações bíblicas e de terceiros foram adaptadas segundo o Acordo Ortográfico da Língua Portuguesa, assinado em 1990, em vigor desde janeiro de 2009.

1. edição: 1981
1ª reimpressão: 1990
2ª reimpressão: 1991
2. edição revista: 2009

Dados Internacionais de Catalogação na Publicação (CIP)
(Câmara Brasileira do Livro, SP, Brasil)

Nee, Watchman, 1903-1972
O mensageiro da cruz / Watchman Nee; tradução João Batista. — 2. ed. rev. — São Paulo: Editora Vida, 2009.

Título original: *The messenger of the cross.*
ISBN 978-85-383-0150-9

1. Conduta de vida 2. Espiritualidade 3. Jesus Cristo — Ensinamentos 4. Santa Cruz 5. Vida cristã I. Título.

09-08190 CDD-248.4

Índice para catálogo sistemático:

1. Conduta de vida : Prática cristã 248.4 **2.** Vida : Reflexões : Prática cristã 248.4

Este volume consiste em mensagens escritas ou entregues pelo autor durante um grande período de ministério ungido da Palavra de Deus. Devido à relação que há no conteúdo destas mensagens, houve-se por bem traduzi-las e publicá-las em um só volume.

SUMÁRIO

PREFÁCIO

No conselho da vontade de Deus, a cruz ocupa o centro. Isto porque somente por meio da cruz pode realizar-se o propósito eterno de Deus referente a seu Filho e à igreja.

"Porque decidi nada saber entre vós, senão a Jesus Cristo e este crucificado", declarou o apóstolo Paulo (1Coríntios 2.2). Cristo veio a nós pelo caminho da cruz, e somente desta forma o conhecemos. A menos que aceitemos a cruz: objetivamente, a obra consumada por Cristo no Calvário e, subjetivamente, a operação do Espírito Santo em nós, não temos mensagem para entregar ao mundo e não somos dignos de ser seus mensageiros.

Neste volume, Watchman Nee mostra-nos que a fonte de todas as coisas espirituais está ao pé da cruz. Para que Cristo seja tudo em todos, o único meio eficaz é a cruz. Como necessitamos, pois, de fazer a oração: "Sonda-me, ó Deus, e conhece o meu coração, prova-me e conhece os meus pensamentos" (Salmos 139.23), para que mediante a resposta de Deus a tal oração sincera possamos ter um conhecimento verdadeiro de nós mesmos! Ora, tal resposta poderá significar termos de experimentar a divisão do espírito e da alma, pois a raiz de todos os pecados é a vida decaída do homem. Entretanto, como esclarece o autor, depois de lidarmos com o ego, então podemos ser verdadeiros mensageiros da cruz. Que Deus levante muitos mensageiros assim hoje em dia.

1

O MENSAGEIRO DA CRUZ

Em anos recentes, muitos parecem estar cansados de ouvir a mensagem da cruz; entretanto, damos graças a Deus, nosso Pai, e o louvamos, pois ele reservou, por amor de seu grande nome, muitos fiéis que não dobraram os joelhos a Baal. Achamos, entretanto, que todos os servos de Deus devem saber por que, embora fielmente proclamem a cruz, veem tão pouco resultado. Por que as pessoas ouvem a palavra verdadeira de Deus e, no entanto, a vida delas demonstra tão pequena mudança? Cremos que este assunto deve receber nossa maior atenção. Nós, como trabalhadores do Senhor, devemos saber por que o evangelho que pregamos falha em ganhar pessoas. Que humildemente oremos, pedindo que o Espírito de Deus derrame luz sobre o nosso coração a fim de vermos onde falhamos.

Naturalmente, devemos dar atenção à palavra que pregamos. (Aqui não nos preocuparemos com os que pregam um evangelho errado, ou "outro" evangelho, pois sua fé já está em erro.) O que pregamos é a verdade, em perfeito acordo com a Bíblia. Nosso tema é a cruz do Senhor Jesus. O que proclamamos não é outro senão o Senhor Jesus, e este crucificado, a fim de salvar os pecadores, tanto da pena como do poder do pecado. Sabemos que nosso Senhor morreu na cruz como substituto dos pecadores para que todos aqueles que creem nele sejam salvos sem as obras. Entretanto, não somente sabemos que Cristo foi crucificado como nosso substituto, mas sabemos também que os pecadores e seus pecados foram crucificados com ele. Temos conhecimento completo do caminho da salvação. Estamos familiarizados com o segredo do morrer com Cristo e com o conseguir, pela fé, o poder de sua morte a fim de lidar com o ego e também com o pecado. Compreendemos claramente todos os ensinamentos relacionados com este assunto apresentados na Bíblia; e podemos apresentá-los tão bem de modo que todos os apreciem — tão bem, de fato, que, quando pregamos a cruz de Cristo, o auditório parece prestar muita atenção e grandemente comover-se. Talvez tenhamos eloquência natural, o que aumenta ainda mais nossa capacidade de emocionar as pessoas — e grandemente ajuda, achamos, nossa obra.

Em tais circunstâncias, naturalmente esperamos que muitos incrédulos recebam a vida e que muitos cristãos recebam a vida mais abundante. Entretanto, os resultados são outros, para surpresa nossa. Embora as pessoas, no auditório, pareçam estar emocionadas, descobrimos que meramente retêm na memória as palavras que falamos sem ganhar o que espiritualmente desejamos para elas. Não há mudanças notáveis em sua vida. Compreendem o ensino, mas sua vida diária não é afetada. Simplesmente armazenam o que ouvem, sem que isso tenha qualquer impacto prático em seu coração.

O motivo de um efeito tão contrário como este parece estar no fato de que o que você e eu possuímos é mera eloquência, são meras palavras ou mera sabedoria. Por trás de nossa palavra, não existe o poder que estimula o coração. Nossa palavra e voz podem ser excelentes; entretanto, o poder de transformar vidas está ausente delas. Por outras palavras, embora possamos atrair as pessoas a fim de nos ouvir, o Espírito Santo não tem trabalhado juntamente conosco. E por isso nosso esforço não produz resultado permanente. Nossa palavra não causa nenhuma impressão indelével na vida das pessoas. As palavras podem fluir de nossa boca, mas de nosso espírito nenhuma vida é liberada a fim de alimentar e vivificar o auditório espiritualmente árido.

Ultimamente a palavra de Deus tem-me chamado a atenção contra esse tipo de pregação. Não devemos procurar ser oradores aclamados pelas pessoas (pois não é o nosso Senhor o doador da vida?); antes, devemos ser meros canais através dos quais a vida dele possa fluir ao coração do homem. Por exemplo, ao pregarmos a cruz, devemos ser aqueles que podem conceder a vida da cruz aos outros. O que me fere grandemente é que, embora muitos hoje estejam pregando a cruz, os ouvintes não parecem receber a vida de Deus. As pessoas ouvem nossas palavras; parecem aprová-las e alegremente recebê-las; entretanto, a vida de Deus não está presente.

Quão frequentemente, ao proclamarmos a mensagem da cruz, as pessoas aparentam perceber o significado e o motivo para tal morte e podem parecer que estão profundamente comovidas nesse instante; no entanto, não testemunhamos a graça de Deus operando em seu meio e fazendo que elas realmente recebam a vida de regeneração. Ou, como outro exemplo, podemos pregar sobre o aspecto da comorte da cruz. Explicamos o ensinamento tão clara e persuasivamente que muitas pessoas logo começam a orar e podem até mesmo decidir-se a morrer instantaneamente com Cristo a fim de experimentar a vitória sobre o pecado e o eu. Com o passar do tempo, entretanto, não percebemos nelas a vida abundante de Deus.

Tais resultados imperfeitos trazem-me muita angústia. Levam-me a humilhar-me perante Deus e a buscar sua luz. Ora, se você partilhar da mesma experiência, gostaria que se juntasse a mim em tristeza perante o Senhor e que juntos nos arrependêssemos de nosso fracasso. O que nos falta hoje são homens e mulheres que verdadeiramente preguem a cruz, e que a preguem especialmente no poder do Espírito Santo.

Com relação a isso, leiamos a seguinte porção da Palavra de Deus:

> Eu, irmãos, quando fui ter convosco, anunciando-vos o testemunho de Deus, não o fiz com ostentação de linguagem ou de sabedoria. Porque decidi nada saber entre vós, senão a

> Jesus Cristo e este crucificado. E foi em fraqueza, temor e grande tremor que eu estive entre vós. A minha palavra e a minha pregação não consistiram em linguagem persuasiva de sabedoria, mas em demonstração do Espírito e de poder (1Coríntios 2.1-4).

Nessa passagem podemos ver o esboço de três coisas: primeiro, a mensagem que Paulo prega; segundo, o próprio Paulo; e terceiro, como Paulo proclama sua mensagem.

Primeiro: a mensagem que Paulo prega

A mensagem que Paulo prega é Jesus Cristo, e este crucificado. Seu assunto é a cruz de Cristo ou o Cristo da cruz. Ele só sabe isso e nada mais. Que tremenda perda será para os que nos ouvem e também para nós mesmos nos esquecermos da cruz e não fazermos dela e do seu Cristo nosso único tema. Espero que não estejamos entre aqueles que não pregam a cruz de modo nenhum.

De forma que, à luz dessa passagem da Escritura, nossa mensagem e nosso tema estejam deveras corretos. Mas não temos tido a experiência de, a despeito da correção de nossa mensagem, não transmitirmos vida às pessoas? Permita-me dizer-lhe que, embora seja essencial pregar a mensagem correta, metade de nosso labor será em vão se não tiver como resultado a recepção de vida pelas pessoas.

Devemos sublinhar que o objetivo de nossa obra é que as pessoas tenham vida. Pregamos a morte substitutiva da cruz a fim de que Deus possa conceder vida aos que creem. Mas que proveito há em ficarem meramente emocionados e serem levados ao arrependimento (até mesmo aprovando o que pregamos) se sua simpatia for somente superficial e a vida de Deus não entrar neles? Ainda estarão sem a salvação. De modo que nosso objetivo não é levar as pessoas somente ao arrependimento ou influenciar-lhes a mente, mas conceder-lhes a vida de Deus para que sejam salvas. Ainda quando pregamos ao cristão a verdade mais profunda referente à comorte da cruz, devemos ter em vista o mesmo objetivo.

Ora, é muito fácil fazer que as pessoas conheçam e compreendam certo assunto. Realmente não é difícil persuadir as pessoas a aceitarem mentalmente nosso ensinamento; cristãos ou não, da mesma forma, com algum conhecimento, podem facilmente compreender se o ensinamento lhes for explicado com clareza. Mas, para que recebam vida, poder, e para que experimentem o que pregamos, Deus tem de operar por nosso intermédio a fim de dispensar a vida mais abundante. Não nos devemos esquecer jamais de que tudo o que fazemos é com o propósito de sermos canais da vida de Deus para que essa mesma vida flua para o espírito das pessoas. Portanto, tendo a correção da mensagem e do tema, precisamos ter certeza de que somos canais que Deus possa usar a fim de transmitir vida às outras pessoas.

Segundo: o próprio Paulo

A mensagem que Paulo prega é a cruz do Senhor Jesus Cristo. O que ele proclama não é em vão, uma vez que é um canal vivo da vida divina. Com o evangelho da cruz, ele gera muitos. Entretanto, ao pregar a palavra da cruz, o que acontece com ele? Ele diz: "E foi em fraqueza, temor e grande tremor que eu estive entre vós". Ele próprio é uma pessoa crucificada! Percebamos que é preciso uma pessoa crucificada a fim de pregar a palavra da cruz.

Aqui, Paulo não tem absolutamente nenhuma confiança em si mesmo. Sua fraqueza, temor e grande tremor — o perceber a si mesmo como totalmente inútil e sem nenhuma autoconfiança — são sinais seguros de que ele é uma pessoa crucificada. "[...] Estou crucificado com Cristo", Paulo certa vez declarou (Gálatas 2.19). A seguir, acrescenta: "Dia após dia, morro! [...]" (1Coríntios 15.31). É preciso um Paulo moribundo a fim de proclamar a crucificação. Sem a verdadeira morte do ego, a vida de Cristo não pode fluir dele. É relativamente fácil pregar a cruz, mas ser uma pessoa crucificada na pregação da crucificação não o é. Se não formos homens e mulheres crucificados, não podemos pregar a palavra da cruz; ninguém receberá a vida da cruz mediante nossa pregação, a menos que estejamos crucificados. Para falar francamente, aquele que não conhece a cruz experimentalmente não é digno de pregá-la.

Terceiro: como Paulo proclama sua mensagem

A mensagem de Paulo é a cruz, e ele próprio é uma pessoa crucificada. Ao pregar a cruz, ele adota a maneira da cruz. A pessoa crucificada prega a mensagem da cruz no espírito da cruz. Mui frequentemente o que pregamos é, de fato, a cruz;

mas nossa atitude, nossas palavras e nossos sentimentos não parecem testemunhar o que pregamos. Muito da pregação da cruz não é feita no espírito da cruz! Paulo escreveu aos cristãos coríntios: "[...] quando fui ter convosco, anunciando-vos o testemunho de Deus, não o fiz com ostentação de linguagem ou de sabedoria". Aqui, o testemunho de Deus refere-se à palavra da cruz. Paulo não empregou palavras difíceis de sabedoria ao proclamar a cruz, mas foi ter com eles no espírito da cruz: "A minha palavra e a minha pregação não consistiram em linguagem persuasiva de sabedoria, mas em demonstração do Espírito e de poder". Esse é, verdadeiramente, o espírito da cruz.

A cruz é a sabedoria de Deus, embora para os incrédulos seja loucura. Quando proclamamos a mensagem "louca", devemos assumir a maneira "louca", adotar a atitude "louca" e usar palavras "loucas". A vitória de Paulo encontra-se no fato de ser ele, deveras, uma pessoa crucificada. Ele pode, portanto, proclamar a cruz com a atitude e também com o espírito da cruz. Aquele que não experimentou a crucificação não está cheio do espírito da cruz e, consequentemente, não é digno de proclamar a mensagem da cruz.

Depois de examinarmos a experiência de Paulo, será que ela não nos mostra a causa de nosso fracasso? A mensagem que pregamos pode estar certa, mas examinemos a nós mesmos à luz do Senhor, discernindo se somos realmente homens e mulheres crucificados. Com que espírito, palavras e atitudes pregamos a cruz? Ah, que nos humilhemos profundamente diante dessas perguntas para que Deus possa ser gracioso para conosco e que os que nos ouvem possam receber a vida.

O fracasso das pessoas em receber a vida deve ser falha dos pregadores! Não é que a palavra tenha perdido seu poder; é que os homens têm falhado. Os homens têm impedido o transbordar da vida de Deus, não que a palavra de Deus tenha perdido sua eficácia. Pessoas que não possuem a experiência da cruz e, portanto, têm falta do espírito da cruz são incapazes de conceder aos outros a vida da cruz. Como podemos dar a outrem aquilo que nós mesmos não possuímos? A não ser que a cruz se transforme em vida para nós, não podemos conceder essa vida aos outros. O fracasso em nossa obra é devido ao fato de estarmos ansiosos por pregar a cruz sem que essa cruz esteja dentro de nós. Aquele que verdadeiramente sabe pregar deve primeiro ter pregado a palavra para si mesmo. De outra forma o Espírito Santo não operará por seu intermédio.

A palavra da cruz que tantas vezes proclamamos, na realidade não é nossa, mas emprestada — conseguimo-la, pelo poder mental, em livros ou examinando as Escrituras.

As pessoas inteligentes e os que estão acostumados a pregar têm, em particular, tendência para esse perigo. Receio que toda sua pesquisa, estudo, leituras, assistência a palestras sobre o mistério da cruz em seus aspectos vários sejam para as outras pessoas, e não parar si mesmas em primeiro lugar. Pensar consistentemente nos outros e negligenciar nossa própria vida poderá resultar em fome espiritual!

Ao entregar a mensagem, tentamos apresentar o que ouvimos, lemos e pensamos, de uma maneira completa e sincera. Podemos falar tão clara e logicamente que as pessoas no auditório podem pensar compreender tudo. Embora compreendam com o entendimento, não existe aquela força compelidora que os faça procurar o que compreendem.

Como se conhecer a teoria da cruz para eles fosse bastante. Por nossa causa, param com o conhecimento da cruz sem prosseguir a fim de obter o que a cruz poderia dar-lhes — isto é, a experiência da cruz. Ou talvez o pregador conheça muito bem a psicologia das massas, de forma que fala com eloquência e sinceridade. Pode até mesmo aconselhar o auditório a não ficar satisfeito com a mera compreensão intelectual do que ouviu, mas procurar a experiência. Entretanto, embora seus ouvintes possam ser despertados temporariamente, falham, não obstante, em receber a vida. O que possuem permanece teoria, não se torna experiência.

Que nós, portanto, possamos não estar satisfeitos com nós mesmos, pensando que nossa eloquência pode dominar o auditório. Embora possa ser estimulado momentaneamente, compreendamos que o que recebe de nós são simplesmente pensamentos e palavras. O fracasso em conceder vida nada contribui em absoluto para a caminhada espiritual do homem. Que proveito há em dar às pessoas somente pensamentos e palavras? Minha oração é que isso penetre profundamente em nosso coração e nos faça refletir sobre a vaidade de nossas obras anteriores!

Como já vimos, pois, os dois motivos principais por que não concedemos vida enquanto pregamos a cruz são: (1) nós mesmos não possuímos a experiência da cruz, e (2) não pregamos a palavra da cruz no espírito da cruz.

Motivo do fracasso das mensagens da cruz

Homens e mulheres que não foram crucificados não podem proclamar a palavra da cruz e são indignos de fazê-lo. A cruz que pregamos aos outros deve, primeiro, crucificar-nos. A palavra que pregamos deve, primeiro, queimar-se profundamente em nossa vida, de modo que nossa vida seja uma mensagem viva. A cruz que proclamamos não deve ser simplesmente uma mensagem. Devemos permitir que a cruz seja nossa vida diária. Então o que pregamos será mais do que uma simples mensagem: será uma espécie de vida que exibimos diariamente. Então poderemos conceder essa vida a outros enquanto pregamos".

"Pois a minha carne é verdadeira comida, e o meu sangue é verdadeira bebida" (João 6.55).

Quando exercitamos fé a fim de nos nutrirmos da cruz do Senhor Jesus, é como se comêssemos da sua carne e bebêssemos do seu sangue. Em tal exercício espiritual, comer e beber não são meras palavras. Como no reino natural, depois de comermos e bebermos, digerimos o que comemos, de forma que isso se torna parte de nós — isto é, torna-se nossa vida. Nosso fracasso repousa no fato de que demasiadas vezes usamos somente nosso intelecto para examinar a Palavra de Deus e somente tomamos como nossa mensagem o que lemos em livros e ouvimos dos pregadores e amigos, e então usamos nossa mente a fim de organizar esse material. Embora tenhamos excelentes pensamentos e tópicos, embora nosso auditório ouça com muita atenção e interesse, nossa obra termina aí, pois somos incapazes de conceder a vida de Deus a eles. A palavra que pregamos é, deveras, a cruz, mas não podemos partilhar a vida da cruz com eles. Tudo o que fizemos foi comunicar-lhes alguns pensamentos e ideias. Não sabemos nós que a necessidade das pessoas não são pensamentos, mas vida?

Vida

Não podemos dar o que não possuímos. Se tudo o que possuímos é pensamento, só podemos dar pensamentos. Se em nossa vida não possuirmos a experiência da comorte com Cristo a fim de vencer o pecado e o ego, nem a experiência de tomar a cruz e seguir o Senhor e com ele sofrer; se nosso conhecimento da palavra da cruz é conseguido de livros e das pessoas, conhecimento que nós mesmos não experimentamos, então é certo que não podemos conceder vida; tudo o que podemos fazer é instilar a ideia da vida de cruz na mente das pessoas. Somente quando nós mesmos somos transformados pela cruz e recebemos seu espírito e também sua vida somos capazes de conceder a cruz às outras pessoas.

A cruz deve fazer sua obra mais profunda em nossa vida diária para que possamos ter experiências reais de vitória e também de sofrimentos da cruz. Então, ao proclamarmos a mensagem, nossa vida se propagará em nossas palavras, e o Espírito Santo pode fazer fluir sua vida através de nossa vida a fim de saciar a aridez da vida dos que nos ouvem.

Pensamento, palavra, eloquência e argumento humanos só estimulam a alma humana, pois estes só alcançam o intelecto. Meramente excitam a emoção, a mente e a vontade do homem. A vida, entretanto, pode alcançar o espírito do homem; todas as obras do Espírito Santo são realizadas em nosso espírito — isto é, em nosso homem interior (veja Romanos 8.16; Efésios 3.16). À medida que nós, em nossa experiência espiritual, deixarmos fluir nossa vida no espírito, o Espírito Santo enviará sua vida ao espírito dos outros e fará que recebam a vida regenerada, a vida mais abundante.

É vão tentarmos salvar pecadores ou edificarmos os santos usando psicologia, eloquência e teoria. Embora a aparência exterior do que dizemos possa ser bem atraente, sabemos que o Espírito Santo não opera conosco. Se o Espírito Santo não emprestar sua autoridade e poder às nossas palavras, os ouvintes não sofrerão mudança alguma em sua vida. Embora possam, às vezes, tomar uma decisão ou mudar sua vontade, tudo não passa de mera excitação da alma. Por não existir vida em nossas palavras, não há poder a fim de fazer que os outros recebam o que não possuímos. Ter vida é ter poder. A menos que permitamos que o Espírito Santo emane de nossa vida a fim de alcançar o espírito do homem, as pessoas não poder[illegible] vida do Espírito Santo e não [illegible] pôr em prática o que pregam[illegible] portanto, não é persuasão p[illegible] mas a vida e o poder do Espírit[illegible]

A vida que mencionamos aqui refere-se à Palavra de Deus que experimentamos em nossa caminhada ou à mensagem que experimentamos antes de proclamá-la. A vida de cruz é a vida do Senhor Jesus. Devemos conhecer nossa mensagem pela experiência. O ensino que conhecemos é somente ensino até que permitamos que opere em nossa vida, de modo que o ensino que conhecemos se torne parte de nossa experiência e elemento integral de nossa caminhada diária. Então o ensino já não é meramente ensino, mas a própria essência de nossa vida — assim como o elemento que comemos tornou-se carne de nossa carne e osso de nossos ossos. Tornamo-nos o ensinamento vivo e a palavra viva; e o que pregamos não é mais simplesmente uma ideia, mas nossa vida real. Esse é o significado de "praticantes da palavra" no sentido bíblico.

Muitas vezes compreendemos mal a palavra "fazer". Achamos que significa que depois de ouvirmos e conhecermos a palavra de Deus devemos tentar o melhor que podemos a fim de fazer o que ouvimos e conhecemos. Mas não é esse o significado de "fazer" na Bíblia. É verdade que precisamos desejar fazer o que ouvimos. Entretanto, o "fazer" das Escrituras não é operar mediante nossa própria força; antes, é permitir que o Espírito Santo viva mediante nós a palavra do Senhor que conhecemos. É uma qualidade de vida, não simplesmente um tipo de obras. Quando tivermos a vida, mui naturalmente teremos as obras.

Contudo, produzir algumas obras não pode ser considerado cumprir o "fazer" da Bíblia. Devemos exercitar nossa vontade a fim de cooperar com o Espírito Santo, de modo que possamos viver o que conhecemos, assim dando vida aos outros.

Ao olharmos para o Senhor Jesus, aprenderemos a lição. "[...] assim importa que o Filho do homem seja levantado, para que todo o que nele crê tenha a vida eterna" (João 3.14,15). "E eu, quando for levantado da terra, atrairei todos a mim mesmo. Isto dizia, significando de que gênero de morte estava para morrer" (João 12.32,33). É preciso que o Senhor Jesus seja crucificado antes de atrair todos os homens a si mesmo para que recebam a vida espiritual. Ele mesmo deve morrer primeiro, tendo a experiência da cruz em operação nele, tanto de dentro como de fora, de modo que ele se torna em realidade o crucificado. E assim terá ele o poder de atrair todos a si mesmo.

Ora, discípulo algum pode ser maior do que seu mestre. Se nosso Senhor deve ser levantado e crucificado para que todos sejam a ele atraídos, não devemos nós, que levantamos o Cristo crucificado, também ser levantados e crucificados para atrair todos a ele? O Senhor Jesus foi levantado na cruz a fim de dar vida espiritual aos homens; da mesma forma, se desejamos fazer que as pessoas tenham vida espiritual, nós também devemos ser levantados na cruz para que o Espírito Santo possa fazer sua vida fluir mediante nós. Uma vez que a fonte da vida procede da cruz, não devem os canais de vida também outorgar vida mediante a cruz?

Os canais de vida

Já mencionamos como nossa obra deve conceder vida às pessoas. Mas em nós mesmos não temos a vida para dar, para que as pessoas possam viver e ser alimentadas. Pois não somos a fonte, mas simplesmente os canais da vida. A vida de Deus flui de nós e através de nós. Uma vez que somos canais, não devemos deixar que nada nos bloqueie para que a vida de Cristo passe através de nós. A obra da cruz é desobstruir-nos — livrar-nos de tudo o que pertence a Adão e à ordem natural para que os outros possam receber a vida do Espírito Santo. Ao sermos cheios com o Espírito Santo, nosso espírito pode levar a cruz de Cristo continuamente. Como resultado, nossa vida torna-se a vida da cruz (explicaremos isso melhor mais adiante). E, uma vez cheios do Espírito Santo e possuindo a vida de cruz, seremos usados pelo Espírito de Deus a fim de fazer emanar de nós a vida de cruz para os que estão ao nosso redor. Pois, se realmente estivermos cheios do Espírito devido à obra mais profunda da cruz em nós, espontaneamente propagaremos vida em nossa conversa — quer pública quer particular — para enriquecer aqueles com os quais estamos em contato. Isso não exige nenhum esforço próprio nem fabricação própria, e deve ser algo muito natural. E isso cumpre o que o Senhor Jesus declara em João 7.38: "Quem crer em mim [...] do seu interior fluirão rios de água viva".

Esse versículo contém vários pensamentos. "Do seu interior", ou "do seu ventre", significa que primeiro o ventre seja esvaziado mediante a perfeita operação da cruz. Também implica que o ventre deve estar cheio da água viva do Espírito Santo. A vida que a pessoa recebe não é somente para sua própria necessidade. É tão abundante e completa que flui como rios de água viva para suprir a necessidade dos outros.

Precisamos dar atenção especial à palavra "fluir" usada aqui. Tal termo não sugere o uso de táticas de oratória, certa tonalidade de voz, algum princípio psicológico profundo, eloquência, argumento ou aprendizagem. Embora tudo isso possa, à vezes, ser útil, em si mesmo não é nem a água viva nem o mecanismo pelo qual a água viva flui. "Fluir" sugere algo mais natural; não requer esforço humano algum. Não é preciso depender da eloquência ou do argumento. Ao proclamarmos fielmente a palavra da cruz de Jesus, as pessoas receberão a vida que não possuem. A vida e o poder do Espírito Santo parecem fluir naturalmente através de nosso espírito. De outra forma, não importa quão ardentemente pregamos, nosso auditório ouvirá passivamente. Embora às vezes as pessoas pareçam prestar atenção e compreender e se emocionar, o que dizemos pode somente extrair elogio de sua boca sem lhes dar a vida e o poder a fim de praticar o que ouvem. Que possamos ser canais da vida de Deus hoje.

A fim de sermos canais, devemos ter a experiência, ou o Espírito Santo não operará conosco; pois a obra que realizamos depois de receber o Espírito Santo tem em si a natureza do testemunho (veja Lucas 24.48,49). De fato, todas as nossas obras dão testemunho do Senhor. O que testifica não pode testificar do que não viu. Mas a palavra do ouvinte não é prova suficiente. Ninguém pode testemunhar sem experiência pessoal. Mais claramente, o que não tem experiência do que proclama é testemunha falsa! E por causa disso o Espírito Santo recusa-se a operar mediante tais indivíduos.

Outra coisa que devemos saber é que quando o Espírito Santo opera (e, da mesma forma, quando o espírito do Maligno opera), é preciso que o homem proporcione saída para o poder. Caso não experimentemos o que proclamamos, o Espírito Santo não nos pode usar como seu canal a fim de transmitir sua vida ao coração das pessoas.

Assim, possa a cruz que proclamamos também crucificar-nos! Que possamos levar a cruz que pregamos! Que primeiro recebamos a vida que pretendemos comunicar aos outros! Que a cruz que proclamamos seja a que experimentamos diariamente em nossa vida! Pois, se nossa mensagem há de produzir efeito eterno, primeiro deve transformar-se em alimento de nossa alma. Mediante as tribulações do viver diário, a marca da cruz é impressa com fogo em nosso próprio ser para que levemos essa marca em tudo o que fazemos. Só aqueles que levam, impressas em seu corpo, as marcas do Senhor Jesus (Gálatas 6.17) podem proclamá-lo. Oh, permita-me lembrá-lo de que a ideia ou conhecimento repentinos obtidos por meio de livros e do estudo podem agradar ao auditório temporariamente, mas não deixará nenhuma impressão permanente. Se nossa obra é só para a apreciação humana, então já cumprimos nosso dever apresentando materiais de fontes mentais e emocionais. Felizmente, entretanto, nossa obra não possui tal propósito!

O êxito do apóstolo

A mensagem da cruz tem influência profunda sobre Paulo. Sua vida é uma manifestação clara da vida de cruz. Ele não somente prega a cruz, mas também a vive. A cruz que ele proclama é a que ele vive diariamente. De modo que, quando fala pela cruz, pode acrescentar à sua pregação sua própria experiência e testemunho. Por um lado, conhece a morte substitutiva de Cristo; por outro, toma a cruz do Senhor Jesus como sua experimentalmente. Em certo instante, ele pode declarar: "[...] Estou crucificado com Cristo" (Gálatas 2.19) e, em outro, pode dizer: "Mas longe esteja de mim gloriar-me, senão na cruz de nosso Senhor Jesus Cristo, pela qual o mundo está crucificado para mim, e eu, para o mundo" (Gálatas 6.14). Sua mansidão, paciência, fraqueza, lágrimas, sofrimentos e cadeias — tudo isso expressa a vida de cruz. Porque vive a cruz, é digno de pregá-la. As pessoas muitas vezes podem falar assim, mas podem não andar assim. Uma vez que Paulo vive o evangelho em sua vida, é capaz de gerar muitos filhos espirituais pelo evangelho. Tendo a vida de cruz, ele pode "reproduzir" a cruz no coração dos outros.

A cruz e seu mensageiro: experiência pessoal

Ao lermos 2Coríntios 4, ficamos sabendo da experiência interior desse servo do Senhor.

O segredo de toda a obra de Paulo encontra-se neste versículo: "De modo que, em nós, opera a morte, mas, em vós, a vida" (v. 12). Ele morria diariamente; permitia que a morte da cruz operasse profundamente nele para que os outros pudessem ter vida. Aquele que não conhece a morte da cruz não tem a vida de cruz para dar aos outros. Paulo estava disposto a ficar no lugar da morte para que outros recebessem vida por intermédio dele. Somente o que morre pode conceder a vida. Mas como morrer, Senhor?

Qual é o significado real dessa morte? Essa morte é mais do que morte para o pecado, para o ego e para o mundo. É mais profunda do que isso. Essa morte é o espírito que nosso Senhor mostrou ao ser crucificado. Ele não morre por seus próprios pecados, pois não tem nenhum. Reconheçamos que sua cruz declara sua santidade. Ele é crucificado por amor dos outros. Disso depreende-se que sua morte é em obediência à vontade de Deus. E esse é o significado da morte aqui mencionada. De sorte que precisamos ser entregues à morte não somente por nós mesmos a fim de que morramos para o pecado, para o ego e para o mundo, mas também por obediência ao

Senhor Jesus, enfrentando diariamente a hostilidade dos pecadores.

Sim, devemos deixar que a morte do Senhor opere obra tal em nós que possamos ter a experiência real de morrer para o ego e chegar ao estado de santidade. Mas devemos também deixar que o Espírito Santo realize um trabalho mais profundo em nós mediante a cruz de modo que nos faça vivê-la. Devemos conhecer a vida da cruz e também sua morte.

Na morte da cruz, morremos para o pecado e para o caminhar adâmico; mas, na vida da cruz, vivemos diariamente no espírito da cruz. Isso significa que em nosso andar cotidiano exibimos o espírito de cordeiro do Senhor Jesus ao sofrermos silenciosamente: "Pois ele, [Jesus] quando ultrajado, não revidava com ultraje; quando maltratado, não fazia ameaças, mas entregava-se àquele que julga retamente" (1Pedro 2.23). Esse tipo de morte é um passo além da morte para o pecado, para o ego e para o mundo. Que a cruz se tome nossa vida! Que possamos ser cruzes vivas! Que possamos magnificar a cruz em todas as coisas!

O motivo pelo qual Paulo pode outorgar vida aos outros é que para ele o viver é a cruz. Ele não somente se vale da morte da cruz negativamente, eliminando o que procede de Adão, mas também toma a cruz positivamente como sua vida e a vive diariamente. Todos os dias, ele aprende o significado da cruz do Senhor Jesus: "Levando sempre no corpo o morrer de Jesus, para que também a sua vida se manifeste em nosso corpo" (2Coríntios 4.10). Ele está disposto a ser "sempre entregues à morte por causa de Jesus, para que também a vida de Jesus se manifeste em nossa carne mortal" (v. 11). Em sua experiência, portanto, Paulo pode ser "atribulados, porém não angustiados; perplexos, porém não desanimados; perseguidos, porém não desamparados; abatidos, porém não destruídos" (v. 8,9). Ele permite que a morte do Senhor Jesus "opere" em sua vida (v. 12).

Uma morte que funcione deve ser uma "morte operante" — a vida da morte, a saber, a vida de cruz. Por causa do Senhor Jesus, Paulo está sempre pronto a ser entregue à morte. Não obstante palavras desagradáveis, atitudes sobranceiras, perseguição cruel e incompreensão não justificada, ele está disposto a suportar tudo por causa do Senhor. Paulo não abrirá a boca ao ser entregue à morte. Como seu Senhor que podia pedir ao Pai que lhe enviasse 12 legiões de anjos a fim de livrá-lo, ele, em nenhuma circunstância, adotará expediente humano a fim de evitar essas coisas desagradáveis. Ele prefere ter a "morte viva" de Jesus — a vida e o espírito da cruz — operando em si para que passa apresentar o espírito da cruz em tudo o que fizer. Considera a cruz como todo-poderosa, por capacitá-lo a ter o desejo, por causa do Senhor Jesus, de ser entregue à morte e de sofrer as perseguições e as durezas do mundo.

Quão profundamente a cruz tem operado na vida de Paulo! E quão bom também seria que nós sofrêssemos em nosso corpo a morte de Jesus! Quem, hoje, pode dizer ao Senhor que está disposto a morrer, disposto a não resistir ao passar por toda espécie de circunstâncias opostas e difíceis? Mas, se desejamos que os outros recebam a cruz, primeiro devemos permitir que essa mesma cruz governe nosso caminhar. Pois somente à medida que permitirmos a cruz queimar nosso próprio coração com o fogo dos sofrimentos e das adversidades é que seremos capazes de reproduzi-la no coração dos outros. Por outras palavras, a vida de cruz é a vida que verdadeiramente pratica o Sermão do Monte (veja Mateus 5—7, especialmente 5.38,44).

Segunda aos Coríntios 4 diz-nos claramente que a nossa não é uma simples pregação; manifestamos a vida do Senhor Jesus (v. 10,11). Devemos deixar que essa vida emane de nós. Só quando levarmos em nosso corpo a morte de Jesus, estando sempre prontos, por amor de Jesus, a ser entregues à morte, é que somos capazes de manifestar o espírito de cordeiro do Calvário nas coisas em que sofremos por ele — quer tais coisas se relacionem com nosso nome, quer com nossa alma, quer até mesmo com nosso corpo físico. Ao fazer isso, de nós emana a vida de Cristo (v. 10,11). Quão triste, porém, é que tantas vezes tomemos a estrada fácil, não compreendendo que não exitem atalhos para a manifestação da vida do Senhor Jesus.

"De modo que, em nós, opera a morte, mas, em vós, a vida" (v. 12). O "vós" aqui se refere aos cristãos coríntios e aos cristãos em todos os lugares. São o auditório de Paulo. Uma vez que a morte de Jesus tem operado em sua experiência, ele pode fazer que a vida de Jesus opere em seus ouvintes de modo que recebam a vida espiritual. A palavra "vida" empregada aqui é, no original grego, *zoe*, vida espiritual, a vida mais alta. O que Paulo oferece aos homens não são discursos, pensamentos e uma cruz de madeira; ele lhes oferece a vida espiritual do próprio Senhor Jesus. Essa vida espiritual pode operar neles até que alcancem o objetivo da mensagem de Paulo.

Isso não é um exercício verbal vazio, mas uma operação da vida sobrenatural e do poder de Deus que entra no espírito sedento das pessoas que o ouvem, assim fazendo que recebam a vida de cruz que o apóstolo de Deus proclama. Devemos atingir essa meta em nossa pregação da cruz e não podemos descansar até que a alcancemos.

Resumindo, então, todos aqueles que não vivem a cruz como Paulo o fez dificilmente poderão esperar conseguir o resultado que Paulo conseguiu. Se nós mesmos não somos crucificados com os homens e com as mulheres, não podemos outorgar a vida às pessoas na pregação da cruz.

A cruz e seu mensageiro: o modo de proclamação

Sabemos que Paulo não somente é uma pessoa crucificada que prega a cruz, mas também prega a cruz no espírito da cruz. Na vida diária, ele é uma pessoa crucificada; nas horas de pregação, permanece uma pessoa crucificada, pois usa o espírito da cruz a fim de pregar a cruz. Ele é um homem cuja experiência de vida tem sido de crucificação com Cristo. Ao proclamar a cruz, não depende de "linguagem persuasiva de sabedoria" (1Coríntios 2.1,4). Paulo compreende que isso não é vantagem no que se refere a ser canal para a vida de Deus. Em vez disso, ele depende da "demonstração do Espírito e de poder". É só assim que a palavra da cruz é proclamada com a atitude adequada.

No que se refere ao gênio e à experiência de Paulo, ele pode anunciar a verdade da cruz com discurso persuasivo e argumentos inteligentes. Ele pode apresentar a cruz trágica de modo tão comovedor que atraia grande atenção. Ele pode desenvolver o mistério da cruz usando todos os tipos de parábolas e observações convincentes. Ele também pode citar a Escritura a fim de fundamentar a filosofia da cruz para que as pessoas possam compreender os aspectos vários da morte substitutiva e da comorte na cruz. Tudo isso Paulo pode fazer muito bem. Mas escolhe não o fazer. Seu coração recusa-se a confiar nessas habilidades, pois sabe que estas jamais outorgarão vida às pessoas. Ele está totalmente consciente de que, se depender dessas vantagens, estará pregando a palavra da cruz por meios que não "pertencem à cruz". Aos olhos do mundo, a cruz é algo humilhante, baixo, louco e desprezível. Entretanto, é exatamente isso que a cruz é. Pregá-la com linguagem persuasiva e com a sabedoria do mundo é totalmente contrário a seu espírito e pode, pois, não ter valor algum. Mas Paulo está disposto a desprezar sua habilidade natural e tomar a atitude e espírito da cruz em sua pregação. Por conseguinte, Deus pode usá-lo grandemente.

Todos nós temos talento natural — alguns mais, outros menos. Depois de termos alguma experiência da cruz, temos a tendência, a princípio, de depender de nossos dons naturais a fim de proclamar a cruz que acabamos de experimentar. Quão ansiosamente esperamos que nossos ouvintes adotem o mesmo ponto de vista e partilhem da mesma experiência. Entretanto, as pessoas parecem tão frias e não receptivas, e ficam aquém de nossa expectativa. Não compreendemos que nossa experiência de cruz é um pouco nova. Ignoramos o fato de que a cruz deve operar de tal forma em nós que não somente deve manifestar-se em nossa vida, mas também expressar-se por meio de nossas obras? Antes que possamos chegar a esse estado de maior maturidade, geralmente vemos nosso talento natural como inofensivo e muito lucrativo no serviço do reino. Então, por que não o usar? Mas até que descubramos que a obra realizada por meio da habilidade natural agrada aos homens só por algum tempo, mas não concede ao espírito a obra real do Espírito Santo, não percebemos quão insuficiente é nosso lindo talento natural e quão necessário é que procuremos maior poder divino. E quantos há que proclamam a cruz em seu próprio poder!

Não digo que esses não tenham nenhuma experiência da cruz; sem dúvida, possuem tal experiência. Nem estou dando a entender que abertamente afirmem confiar em seu próprio dom e poder a fim de realizar a obra. Pelo contrário, podem gastar horas em oração, suplicando a bênção de Deus e a ajuda do Espírito Santo. Podem mesmo ter consciência, até certo ponto, de sua incapacidade de depender de si mesmos. Entretanto, tudo isso não os ajuda muito se nos recessos profundos de seu coração ainda confiam que sua eloquência ou análise, suas ideias e ilustrações não podem falhar em mover as pessoas!

Nossa crucificação é expressa por nosso desamparo, nossa fraqueza, nosso temor e tremor. Em resumo, a crucificação significa morte. Consequentemente, se manifestarmos a vida de cruz em nosso viver diário, também devemos exibir o espírito da cruz no trabalho do Senhor. Devemos sempre ver a nós mesmos como desamparados. No serviço do Senhor, devemos andar em temor e tremor, para nosso próprio bem, a fim de não confiarmos em nós mesmos. Em tal estado, sem dúvida, dependeremos do Espírito Santo, e assim produziremos fruto.

A menor porção de autoconfiança certamente desfará nossa dependência do Espírito Santo. Somente aqueles que foram crucificados sabem e estão dispostos a aprender a dependência do Espírito de Deus e de seu poder. Paulo, por exemplo, foi crucificado com Cristo; logo, quando trabalha exibe o espírito da cruz sem nenhuma autodependência. E porque ele usa a maneira da cruz a fim de proclamar o Salvador da cruz, o Espírito Santo e seu poder dão apoio ao testemunho de Paulo. Que possamos dizer com nosso irmão Paulo: "[...] nosso evangelho não chegou até vós tão somente em palavra, mas, sobretudo, em poder, no Espírito Santo" (1Tessalonicenses 1.5). Embora possamos falar de modo convincente, que proveito trará se o Espírito Santo não estiver operando por meio de nossas palavras? Portanto, que possamos não dar tanto valor à nossa habilidade natural, mas estar dispostos a tudo perder a fim de obter o poder do Espírito de Deus.

Jaz aqui a chave para a fertilidade ou infertilidade do evangelista. Às vezes podemos examinar dois pregadores do evangelho. Sua apresentação e expressão podem ser exatamente as mesmas. Mas um é usado por Deus a fim de produzir muito fruto, enquanto o outro — embora o que diga seja espiritual e bíblico e os ouvintes pareçam prestar bastante atenção — não consegue fruto algum e nada parece advir de sua pregação. Não é difícil descobrir o motivo. Posso dizer, por minha própria observação, que um deles foi verdadeiramente crucificado e teve verdadeira experiência espiritual, e que para o outro a apresentação inteira do evangelho é meramente uma ideia. Aquele que somente possui ideias não pode pregar a cruz à maneira da cruz. Mas, à medida que aquele que possui a vida da cruz anunciar com seu espírito a experiência que possui, terá, operando a seu favor, o Espírito Santo.

Ora, algumas pessoas podem ser mais eloquentes e mais hábeis na análise e no uso de ilustrações; não obstante, se não possuírem a operação da cruz em sua vida, o Espírito Santo não operará por seu intermédio. O que lhes falta é a operação mais profunda do Espírito Santo para que, ao proclamarem o evangelho, o Espírito Santo opere mediante elas e faça fluir sua vida por intermédio delas. Precisam ver que, apesar de às vezes o Senhor usar suas habilidades naturais, a fonte de toda a fertilidade não está aí. Toda obra realizada mediante a vida natural é vã; mas a obra realizada no poder da vida sobrenatural dá muito fruto.

Leiamos outra passagem da Escritura a fim de ajudar-nos a compreender a diferença entre depender da vida natural e depender da vida sobrenatural.

> Em verdade, em verdade vos digo: se o grão de trigo, caindo na terra, não morrer, fica ele só; mas, se morrer, produz muito fruto. Quem ama a sua vida perde-a; mas aquele que odeia a sua vida neste mundo preservá-la-á para a vida eterna (João 12.24,25).

Aqui o Senhor Jesus revela o princípio da produção de fruto: o grão de trigo primeiro deve morrer antes de produzir muito fruto. Disso se depreende que a morte é processo indispensável na produção de fruto. Verdadeiramente a morte é a única maneira de produzir frutos. Tantas vezes pedimos ao Senhor o maior poder a fim de produzir mais fruto; mas o Senhor nos diz que precisamos morrer, que se desejamos o poder do Espírito Santo devemos experimentar a cruz. Muitas vezes em nossa tentativa de chegar ao Pentecoste desviamo-nos do Calvário, não percebendo que sem a crucificação e a perda de tudo o que pertence ao mundo natural o Espírito Santo não pode operar conosco para ganhar muitas almas. Eis o princípio espiritual: morra, e então produza fruto.

A própria natureza do produzir fruto prova o que afirmamos antes: o propósito da obra é que as pessoas recebam vida. Esse grão de trigo simplesmente morreu, e como resultado produziu muitos outros grãos. Todos esses muitos grãos agora têm vida; mas a fonte da vida que obtiveram foi o grão de trigo morto. Se estamos verdadeiramente mortos, seremos canais da vida de Deus a fim de transmiti-la a outros. Ora, essa vida não é questão de vã terminologia; faz que o poder de Deus emane de nós a fim de dar vida aos outros.

O fruto que esse grão de trigo produz é múltiplo. Jesus disse "muito fruto" — isto é, muitos grãos. Enquanto estamos envolvidos em nossa própria vida, podemos ganhar uma ou duas pessoas exercendo ao máximo nossa força (não digo que não podemos absolutamente salvar ninguém). Mas, se morrermos como morre o grão de trigo, ganharemos "muito fruto". Em qualquer lugar, às vezes com uma ou duas palavras, as pessoas são salvas ou edificadas. Que esperemos, portanto, produzir muito fruto.

No entanto, o que realmente significa a expressão "cair na terra e morrer"? Ao ler as palavras seguintes aqui proferidas pelo Senhor, podemos prontamente compreender: "Quem ama a sua vida perde-a; mas aquele que odeia a sua vida neste mundo preservá-la-á para a vida eterna" (João 12.25). O original grego usa duas palavras diferentes para a palavra "vida" aqui mencionada. A palavra *psyche* refere-se à vida da alma ou à vida natural; *zoe* significa a vida do espírito ou a vida sobrenatural. Portanto, o que o Senhor está realmente dizendo aqui é:

"Quem ama a sua vida da alma, perde a vida do espírito; mas aquele que odeia a sua vida da alma neste mundo, preservará a vida do espírito para a vida eterna". Simplificando, devemos entregar à morte a vida da alma, assim como o grão de trigo cai na terra e morre; e então, por meio da vida do espírito muitos grãos serão produzidos e preservados para a eternidade. É nosso desejo produzir muito fruto, porém não sabemos deixar que nossa vida da alma morra e que viva a vida do espírito.

A vida da alma é a nossa vida natural. É a vida da alma que conserva a vida da carne, portanto é o fator da vida do homem natural. Os dons naturais da pessoa pertencem à alma — elementos como a vontade, o vigor, as emoções, o pensamento e assim por diante. Essas coisas que todas as pessoas naturais possuem em comum são acessórios da vida da alma. A inteligência, o raciocínio, a eloquência, a afeição e a capacidade pertencem à vida da alma. A vida do espírito, pois, é a vida de Deus. Não procede de nenhuma parte da vida da alma, mas é uma vida especialmente dada a nós pelo Espírito Santo quando cremos na obra consumada da cruz do Senhor Jesus e somos salvos. Deus então está em nós a fim de vivificar essa vida do espírito para que possa crescer e assim tornar-se o poder motivador de todas as nossas boas ações e obras. É a vontade de Deus pôr nossa vida da alma no lugar da morte (note, entretanto, que essa é uma morte diferente da que 2Coríntios 4 prescreve).

Quão frequentemente o poder para nossa obra provém de nosso dom natural ou da vida de nossa alma! Quanto dependemos de nossa eloquência, sabedoria, conhecimento, habilidade e assim por diante! Entretanto, o mais grave é que toda a força que usamos na pregação procede da vida de nossa alma. Usamos nossa força natural, e isso diminui sobremaneira nossos frutos. Quando servimos, não sabemos como usufruir do poder da vida do espírito; de fato, muitas vezes confundimos a vida da alma com a vida do espírito. E dessa forma encontramo-nos dependendo de nossa força natural. Só depois de termos esgotado a força natural de nosso corpo começamos a confiar no poder da vida do espírito. É triste, mas muitos nem mesmo chegam a esse estágio de compreensão, pois, quando sua força do corpo é exaurida, incorretamente concluem que não mais podem trabalhar para Deus.

Felizmente, entretanto, alguns são mais adiantados na vida espiritual: quando fracos, aprendem a confiar no poder do Senhor a fim de continuar. Entretanto, se desde o começo realmente soubéssemos como morrer para nossa força natural (da alma) e depender inteiramente do poder da vida do espírito que Deus pôs em nós, jamais operaríamos no poder da vida da alma, quer tivéssemos o vigor natural quer não.

Causa-me grande dor compreender quanto das obras dos crentes — não importa quão zelosas e sinceras sejam suas obras — é realizado no reino da alma em vez de esses crentes irem ao reino do espírito a fim de realizá-las. É difícil diferenciar o poder do espírito do poder da alma. Somente o podemos compreender com o coração; contudo, quando somos instruídos pelo Espírito Santo, compreendemos isto mais claramente por meio da experiência.

Para ajudar alguns dos mais fracos filhos de Deus, tentaremos explanar melhor esse problema; entretanto, para verdadeiramente conhecê-lo na experiência, devemos pedir que o Espírito de Deus revele-o a nós. As características da obra da alma podem ser classificadas de três maneiras: primeiro, talento natural; segundo, emoção; terceiro, mente.

Talento natural

Já discorremos um pouco sobre esse assunto. Alguns possuem dons naturais mais elevados do que outros; simplesmente são mais naturalmente alertas. Alguns são muito eloquentes e podem apresentar seus argumentos de modo convincente. Outros possuem a habilidade da análise/capacidade de dissecar o problema e pôr tudo em boa ordem. Outros são fisicamente fortes: podem trabalhar o dia inteiro sem parar. E ainda outros são altamente capazes de gerenciar negócios. Ora, prontamente compreendemos que Deus usa os talentos naturais do homem; mas, ao ser usado por Deus, o homem tem a tendência de confiar em seus talentos.

Por exemplo, um cristão pode ter dificuldade com as palavras, mas ser bom gerente, enquanto outro pode ser eloquente, mas não ter tino comercial. Se o Senhor enviasse ambos a pregar a palavra de Deus, o primeiro, sem dúvida, oraria muito e dependeria muito do Senhor, pois conhece sua dificuldade. O segundo cristão, embora também orasse e também dependesse do Senhor, sua dependência não seria tão total como a do primeiro, pois um cristão como ele invariavelmente confiaria um pouco em sua eloquência. Ou se o Senhor pedisse que ambos fizessem algo, o primeiro cristão não seria tão dependente do Senhor quanto o segundo. Nosso talento natural é o poder de nossa vida da alma. Pouco percebemos quanto confiamos e quanto dependemos do poder da alma para nossas obras no serviço do Senhor. Do ponto de vista de Deus, muitas são as obras realizadas no poder da alma!

Emoção

As emoções podem proceder de dentro de nós mesmos ou podem ser causadas por outras pessoas. Às vezes, devido ao fato de que aqueles a quem amamos não são salvos ou então não chegam ao lugar que previamos para eles, somos levados a exercer nosso esforço máximo a fim de salvá-los ou edificá-los. Esse tipo de trabalho geralmente é infrutífero, entretanto, por ser motivado por nossa afeição natural. Outras vezes podemos receber graça especial de Deus. Como resultado, nosso coração fica tão cheio de luz e alegria que sentimos como se um fogo nos queimasse por dentro dando-nos alegria indizível. É nesse momento que a presença de Deus mais se manifesta; nossa alma fica tão excitada que desperta dentro de nós muitas emoções. É extremamente fácil trabalhar para o Senhor em tal atmosfera. Nosso coração transborda, e mal podemos conter a vontade de falar aos outros das coisas do Senhor. Em situações normais, podemos saber que não devemos falar demais, mas por termos recebido luz especial agora falamos incessantemente acerca das coisas de Deus. Reconheçamos que esse tipo de trabalho procede principalmente de nossas emoções. Só quando nosso coração está cheio desse "fogo" e nos sentimos como se tivéssemos subido ao terceiro céu, podemos trabalhar. Mas, se o Senhor não nos der tal alegria, imediatamente nos tornamos pessoas que parecem levar um fardo insuportável e que não podem dar nenhum passo. Então o estado de nosso coração é frio como gelo, não temos um estímulo emocional, e não podemos pregar o evangelho. Nesse momento, nossa vida interior parece tão árida que simplesmente não podemos trabalhar. Ainda que "forçássemos a nós mesmos a operar, tal trabalho seria feito com desânimo".

Percebemos, pois, que o trabalho para Deus é quase inteiramente controlado por nosso sentimento. Quando o sentimento de calor, como descrito antes, invade-nos, podemos voar tão alto como a águia; quando há ausência desse sentimento, mal podemos nos arrastar. E uma vez que sentimento, excitação e afeição pertencem à parte emocional de nosso ser, todos os santos que são governados por esses impulsos interiores operam pelo poder da vida da alma. Ainda têm de entregar essas coisas à morte e operar no espírito.

Mente

Nossa obra para o Senhor frequentemente é afetada ou governada por nossa mente. Às vezes, não sabendo como procurar a vontade de Deus, tomamos nosso pensamento como sua vontade, e assim nos desviamos. Determinar nossa caminhada obedecendo à mente é muito perigoso.

Se ao preparar-nos para falar quebramos a cabeça a fim de desenvolver muitos pontos, fazer esboços e divisões, prever reações, apresentar princípios e parábolas, tal palestra acaba ficando sem vida. Embora possa despertar algum interesse no auditório, não poderá outorgar vida às pessoas.

Há outra função da mente que, creio eu, muitos servos do Senhor têm usado erradamente —

a memória. Quantas vezes na pregação usamos nosso poder de recordar! Decoramos o que ouvimos e mais tarde pregamos o que, por esse meio, temos armazenado na mente. Às vezes entregamos às pessoas o ensinamento bíblico que decoramos; outras vezes pregamos às pessoas usando nossas notas. Tudo isso é operação da mente. Entretanto, não sugiro aqui que nós mesmos não tenhamos experiência nenhuma do que pregamos. Talvez o que sabemos e decoramos sejam deveras as lições que Deus nos ensinou no passado; logo, as experimentamos de verdade. Não obstante, se as entregamos de memória ou somente por meio de notas, pertencem, inegavelmente, à obra da mente.

Por que digo isso? Porque logo após termos tido experiência de certa verdade, embora originariamente tivesse ela sido incorporada em nossa vida, somente o conhecimento dessa verdade foi armazenado em nosso cérebro. E se, depois, usarmos o poder da memória a fim de recordar e pregar a verdade que experimentamos no passado, nossa obra permanece no reino da mente. Ora, uma vez que a mente e a memória pertencem à alma, nossa dependência delas significa que confiamos no poder da vida da alma. Ainda estamos sob o controle da vida natural.

As três características anteriores são as obras da alma mais proeminentes. Tais obras não são pecado, nem são totalmente ineficazes para salvar as pessoas; entretanto, os frutos que produzem são muito limitados. Devemos vencer esses tipos de obras da alma dependendo da cruz. O Senhor Jesus ensinou-nos que nossa vida natural, ou vida da alma, deve, como o grão de trigo, cair no chão e morrer. Quando falamos segundo nossa experiência, é natural que demos grande valor a nosso talento, deleitemo-nos em nosso sentimento e confiemos em nosso pensamento. Mas nosso Senhor nos diz que devemos odiar essa vida da alma; de outra forma, amando-a, perderemos o poder da vida sobrenatural do espírito que Deus nos concedeu. A morte da cruz deve operar profundamente nessa área de nossa natureza. Devemos estar dispostos a entregar à cruz a vida da alma que tanto amamos, estar dispostos a morrer com Cristo nessa área, a fim de livrarmo-nos da dependência do talento natural, do sentimento e do pensamento, de modo que possamos odiar esse tipo de obra com todo o nosso coração. Enquanto servimos ao Senhor, devemos considerar o talento, o sentimento e o pensamento como nada. Detestamos esse tipo de poder da vida natural e estamos prontos a entregá-lo à morte de cruz.

Se, no lado negativo, sempre mantivermos a atitude de ódio para com a vida da alma, aprenderemos, experimentalmente, como depender do poder da vida do espírito e, dessa forma, produziremos frutos para a glória de Deus.

A maneira pela qual a pessoa crucificada proclama a cruz

Quanto ao lado prático, sempre que o Senhor nos envia a certo lugar, em certa época, a fim de testemunhar dele, devemos, de novo, livrar-nos da inclinação ao amor e à dependência de nossa vida natural e estar dispostos a deixar de lado nossa emoção ou sentimento. Embora, às vezes, nada sintamos, ou nos sintamos frios como gelo, podemos ajoelhar-nos diante do Senhor e pedir que a cruz faça seu trabalho mais profundo em nós para que possamos controlar nosso sentimento — seja ele frio em cumprir o mandamento do Senhor, seja quente. Podemos pedir ainda mais que o Senhor fortaleça nosso espírito. E enquanto a vida da alma nesse instante recebe seu golpe fatal na cruz, o Senhor nos concederá mais graça. Ainda que conheçamos a verdade que vamos pregar, não ousamos tirá-la de nosso cérebro e entregá-la às pessoas. Antes, nós nos prostraremos humildemente perante Deus, pedindo-lhe que dê vida novamente à verdade que já conhecíamos.

Assim, a verdade será impressa em nós de novo, de modo que o que falamos não é mera recordação de nossa experiência passada, mas uma nova experiência de vida. Dessa forma o Espírito Santo com seu poder controlará o que pregamos.

É melhor esperarmos perante o Senhor antes de falarmos, permitindo assim que sua palavra (ou às vezes aquilo que já conhecemos) impressione nosso espírito de novo. Ainda que tenhamos pouco tempo, o Senhor é capaz de imprimir a mensagem em nosso espírito em poucos minutos. Tal experiência requer a abertura constante de nosso espírito ao Senhor em nossa caminhada diária.

Devemos ressaltar esse ponto, pois ele é a chave de nosso êxito ou de nosso fracasso. No caso de um cristão desviado, se pedirmos que fale de sua experiência passada, ele pode fazê-lo pelo poder da memória e pode até mesmo falar com bastante propriedade. Mas todos nós sabemos que o Espírito Santo não operará mediante ele. Entretanto, percebamos que a obra que fazemos pelo poder da memória não é muito diferente da pregação ou palestra do cristão desviado. Devemos rapidamente reconhecer que a obra feita com a mente é, na maioria das vezes, desperdício de energia. Pois o que procede da mente só pode alcançar a mente das outras pessoas. Nunca pode tocar o espírito nem dar vida. Experiências antigas, não renovadas nem avivadas, são inadequadas para nossa obra. Devemos pedir que Deus renove a experiência antiga em nosso espírito.

O que acabamos de dizer é ainda mais verdadeiro com referência à pregação da salvação da cruz aos pecadores. Pode ser que tenhamos sido salvos há muito tempo. Se operarmos somente pelo poder da memória, não será nossa mensagem demasiadamente antiga e sem sabor? Mas, se pudermos ver de novo em nosso espírito a fealdade dos pecados e provar de novo o amor da cruz, ficaremos assim tocados pela compaixão de Cristo para que os pecadores creiam nele e poderemos retratar a cruz vividamente perante as pessoas (veja Gálatas 3.1) para que creiam nele. Como poderemos emocionar os outros com o amor e a compaixão de Cristo se nós mesmos somos tão duros e frios? Pode ser que, ao proclamarmos o sofrimento da cruz, nosso coração não esteja de modo algum tocado e amolecido por tais sofrimentos!

Portanto, devemos ir à presença do Senhor com nosso espírito aberto para que o Espírito Santo faça que sua palavra e mensagem passem através de nosso espírito, fazendo-nos derreter por sua palavra antes de a entregarmos. Não devemos depender de nosso sentimento, do talento natural nem de nossa mente; antes, depender do poder do Espírito Santo. Deixemos que sua mensagem impressione o espírito dos que o ouvem e também o nosso espírito. Oh, toda vez que pregarmos, devemos ser como Isaías, que sempre tinha o fardo da profecia antes de profetizar. Ao ler Isaías 13 a 23 (*ARC*), notaremos que cada profecia é precedida da palavra "fardo" ou "peso". Isso deveria ser significativo para nós. Toda vez que proclamamos a Palavra de Deus, primeiro precisamos receber em nosso espírito o fardo da mensagem que precisamos entregar como se não pudéssemos livrar-nos do fardo até que nosso trabalho seja feito.

Além disso, devemos pedir que o Senhor nos dê o fardo para que a obra que fizermos não proceda de nosso sentimento natural, de nosso talento ou de nossa mente. Devemos também passar pela experiência de Jeremias: "Quando pensei: não me lembrarei dele e já não falarei no seu nome, então, isso me foi no coração como fogo ardente, encerrado nos meus ossos; já desfaleço de sofrer e não posso mais" (Jeremias 20.9). Como podemos descuidar-nos ao proclamar a Palavra de Deus! Devemos permitir primeiro que sua palavra queime nosso espírito para que não deixemos de proclamá-la. Mas, se não estivermos dispostos a entregar a vida de nossa alma e seu poder à morte, jamais receberemos de novo a palavra do Senhor em nosso espírito.

Se nós, como servos, desejamos ser usados por Deus a fim de salvar os pecadores e de reavivar os santos — isto é, proclamar a mensagem da cruz —, devemos deixar que primeiro a cruz opere em nós: fazer-nos, por um lado, desejosos de entregarmo-nos diariamente à morte por causa do Senhor e, por outro lado, dispostos a pôr o poder e a vida da nossa alma no lugar da morte — aborrecendo a força que pertence à vida natural, não confiando de modo algum em nós mesmos, nem em tudo que procede do ego.

Então veremos a vida de Deus e seu poder fluindo para o espírito das pessoas mediante nossas palavras.

A despeito de todo o preparo do evangelista ou pregador, algumas vezes ele ainda pode falhar. Entretanto, isso não será devido a um fracasso total da parte dele. Por que, então? Por causa da opressão e do ataque de Satanás.

A opressão e o ataque de Satanás

Satanás odeia a pregação da palavra da cruz. Se proclamarmos fielmente a cruz do Senhor, sofreremos sua oposição. Ele, frequentemente, assalta o mensageiro da cruz das seguintes maneiras. Ele pode atacar, enfraquecendo a saúde do mensageiro — fazendo que ele perca a voz e encontre muitos perigos físicos — ou oprimindo-lhe o espírito a ponto de sufocá-lo. Ele pode operar no ambiente criando incompreensão, oposição e até mesmo perseguição. Ele pode perturbar o tempo, impedindo que as pessoas assistam às reuniões. Ele pode causar desordem ou confusão na reunião. Pode incitar os cães a latir ou os bebês a chorar. Às vezes ele pode operar na atmosfera, fazendo que a reunião seja pesada, sufocante, opressiva ou lúgubre. Tudo isso é obra do inimigo que o mensageiro da cruz deve reconhecer.

Já que temos tal inimigo e podemos encontrar esse tipo de oposição, é preciso que conheçamos a vitória da cruz. O Senhor Jesus, na cruz, fez mais do que simplesmente resolver o problema do pecador. Ali ele pronunciou a sentença de juízo sobre Satanás; ali ele derrotou o inimigo:

> [...] para que, por sua morte, destruísse aquele que tem o poder da morte, a saber, o diabo, e livrasse todos que, pelo pavor da morte, estavam sujeitos à escravidão por toda a vida (Hebreus 2.14,15).

"[...] despojando os principados e as potestades [o Senhor Jesus], publicamente os expôs ao desprezo, triunfando deles na cruz" (Colossenses 2.15).

Na cruz, Satanás foi vencido, pois ali ele sofreu o golpe fatal. Sabemos que "Para isto se manifestou o Filho de Deus: para destruir as obras do diabo" (1João 3.8). E onde isso acontece? A resposta simples é: na cruz. Também sabemos que o Senhor Jesus veio para amarrar o homem valente (Mateus 12.29).

Onde? Na cruz no Calvário, naturalmente. É preciso que compreendamos que o Senhor Jesus ganhou a batalha na cruz. Devemos conhecer:

A vitória da cruz

Precisamos reconhecer que Satanás é um inimigo derrotado. Disso depreendemos que não precisamos ser derrotados e que o inimigo não pode vencer. Satanás não tem direito de vencer outra vez! Não deve ter nada, a não ser uma derrota total de si mesmo. Que nós, portanto, levantemos a vitória da cruz, tanto antes como depois de vermos a obra de Satanás. Louvemos em voz alta a vitória de Cristo. Antes de começarmos a operar, podemos declarar perante o Senhor: "Louvado seja o Senhor, pois dele é a vitória! Cristo é o triunfador! Satanás já está derrotado! O inimigo já foi destruído! O Calvário é a vitória! A cruz é a vitória!". Devemos repetir isso até que em nosso espírito saibamos que o Senhor ganhará outra vez a luta. Devemos permanecer ao pé da cruz, pedindo a vitória e também a destruição das obras do diabo. Devemos pedir que Deus nos cubra, e também àqueles que assistem à reunião, com o precioso sangue de nosso

Senhor Jesus para que não sejamos atacados por Satanás, mas o vençamos.

“Eles, pois, o venceram [Satanás] por causa do sangue do Cordeiro [...]” (Apocalipse 12.11).

Recentemente, enquanto trabalhava na província ao sul de Fukien, o diabo frequentemente tentou oprimir-me e assaltar-me. Entretanto, o Senhor ensinou-me nessa experiência que deveria firmar-me na cruz e louvá-lo. Às vezes meu espírito ficava profundamente oprimido; eu não tinha liberdade, era como se um peso de mil quilos me oprimisse o coração. Outras vezes, ao entrar no salão de reuniões, sentia que o próprio ar tinha sido poluído pelas obras do diabo. Em tais circunstâncias, embora eu orasse ardentemente, não podia prevalecer.

De modo que comecei a louvar Cristo por sua vitória na cruz: gloriava-me na cruz e injuriava o inimigo dizendo que ele não mais podia operar, pois era um inimigo derrotado. Em sequência, senti-me verdadeiramente liberado, e a atmosfera da reunião também foi mudada. Louvado seja o Senhor, pois a cruz é vitoriosa! Louvado seja o Senhor, pois Satanás está derrotado! Devemos saber exercitar, em oração, os vários aspectos da vitória da cruz contra os ardis, poderes e assaltos do inimigo. Sempre que houver oposição ou confusão de qualquer espécie, podemos declarar a vitória da cruz do Calvário. Embora às vezes não sintamos nada, entretanto, pela fé, reivindicamos sua vitória, e o inimigo será derrotado.

Se estivermos realmente unidos à cruz — permitindo que ela realize uma obra mais profunda em nossa vida e serviço, confiando com todo o coração na vitória da cruz —, Deus nos fará triunfar em todos os lugares. Que Deus possa levar-nos, servos indignos, a ser obreiros que não têm de que se envergonhar (2Timóteo 2.15).

Escrito em 15 de janeiro de 1926
em Amoy, China.

2

EM CRISTO

Nunca nos devemos esquecer de que todos somos pecadores porque todos estivemos em Adão. Todo aquele que nasceu de Adão herdou a natureza de Adão. Quando pecadores, não precisávamos esforçar-nos para perder a calma, contar uma mentira, e assim por diante, uma vez que a vida, natureza e comportamento de Adão fluíam em nós. Ora, a nossa salvação não vem do fato de Deus nos ter tornado bons, mas de ter-nos salvo de Adão colocando-nos em Cristo. De modo que agora tudo o que é de Cristo flui para dentro de nós. A Bíblia mostra-nos que, no momento em que estamos em Adão, pecamos e que somente permanecendo em Cristo praticamos a justiça. Permita-me lembrar a você e a mim que à espreita, no secreto do coração de muitos de nós, está o erro: a ideia de esperar que Deus nos mude. Mas Deus não faz e jamais fará nada dentro de nós; antes, nos colocará em Cristo.

Nosso padrão de pensamento é que, uma vez que a raiz do pecado está em nós, devemos pedir a Deus — depois de sermos salvos — que arranque a raiz do pecado assim como pedimos que o dentista extraia um dente doído de nossa boca. Talvez alguns até mesmo digam a você e a mim que devemos orar pedindo que Deus extraia a raiz de nosso pecado. Talvez possam também informar-nos que, depois de longo tempo em oração, eles mesmos tiveram êxito nisso e dessa forma alcançaram a santidade.

Deixe-me, porém, apressar-me a dizer-lhe que, se você espera que Deus desarraigue o seu pecado, ficará desapontado, pois Deus jamais o fará. O que a Bíblia nos mostra é que todas as obras de Deus foram realizadas em Cristo. Desde o dia em que Cristo morreu, todas as coisas do mundo espiritual foram completadas nele. Deus não pode fazer mais. De modo que, se você pedir que Deus faça algo parecido em você, ele não o pode fazer. Você somente pode receber o que ele já fez em Cristo.

Tudo está em Cristo. Você espera, em oração, ver uma luz especial ou ouvir alguma voz especial dizendo-lhe que seu pecado particular agora está sendo erradicado? Ou procura uma sensação distinta que o encha de alegria? Você pode pensar que essas coisas sejam boas; em verdade, entretanto, isso mostra que seu coração é ímpio e incrédulo. Pois tudo o que Deus faz ele o faz em Cristo, não em você. De modo que agora não é mais o que Deus faz em você, mas o que Deus fez em Cristo.

Ao crer nessa última alternativa, você a receberá. Somente a possuirá apropriando-se dela em Cristo.

Amiúde, quando enferma, a pessoa pensa que ficará bem se tão somente Deus a tocar com o dedinho. Mas Deus já o curou em Cristo; não pode fazer mais nada em você. Se você crer nisso e apropriar-se desse fato em Cristo, deveras ficará são e saudável. Você está pensando em vitória? A vitória de Cristo somente é seu triunfo. Deseja vencer o mundo? Outra vez, foi Cristo quem venceu o mundo. Ou você espera que Deus faça algo para você algum dia? Permita-me dizer uma vez mais: não; Deus já fez tudo para você em Cristo. Logo, a vitória não é questão do dia atual, porque Cristo já triunfou. Que Deus nos possa dar revelação tal que possamos ver o que já temos em Cristo.

Se não cremos, nada recebemos; mas, se cremos, temos tudo. Em Cristo, estão a vitória, a justificação, a santificação, o perdão e todas as outras bênçãos espirituais. Deus não pode fazer mais do que isso por nós. Se estivermos em Cristo, tudo o que é de Cristo será nosso. Não é como se tirássemos alguma coisa de Cristo a fim de nutrir a nós mesmos, mas é entrarmos em Cristo para permitir que flua em nós o que já está nele.

Ao sermos batizados, somos batizados em Cristo — não meramente somos batizados na água, mas batizados em Cristo. Segundo a última cláusula de Romanos 6.3 ("fomos batizados na sua morte"), a água do batismo mencionada nesse versículo aponta para a morte. Mas, segundo a primeira cláusula do mesmo versículo ("fomos batizados em Cristo"), a água também se refere a Cristo. Frequentemente vamos a Deus buscando um copo d'água. Não, Deus quer que entremos em Cristo. Se esclarecermos esse ponto, saberemos que não é uma questão de nós mesmos, nem o nosso pedir que Deus faça algo em nós; é, antes, Cristo, e todas as coisas estão nele.

I. O que temos em Cristo

"Agora, pois, já nenhuma condenação há para os que estão em Cristo Jesus" (Romanos 8.1).

Como não podemos ser condenados? Estando em Cristo. Você pode dizer a Deus: "Sou pecador, por favor, perdoa-me e não me condenes"? Não, Deus não pode fazer isso diretamente para você; ele somente pode perdoá-lo em Cristo. Você não deve olhar para si mesmo; deve olhar para Cristo. Permita-me perguntar: como é que você sabe que não será condenado no futuro? Pode você confiar na experiência que teve em certa época, em determinado dia?

É claro que você somente pode firmar-se e estar seguro no que as Escrituras dizem. Então nem eu, nem todos os pregadores do mundo, nem o próprio Deus podemos refutá-lo; isso porque a Palavra de Deus afirma: "Agora, pois, já nenhuma condenação há para os que estão em Cristo Jesus".

"E, assim, se alguém está em Cristo, é nova criatura; as cousas antigas já passaram; eis que se fizeram novas" (2Coríntios 5.17).

Diz essa passagem quanto fui mudado? De maneira nenhuma. Simplesmente diz que, se alguém está em Cristo, é nova criatura. Alguém pode asseverar ter sido um cristão fraco por vários anos até que em certo ano e em determinado mês foi vivificado, assim tornando-se uma nova criatura. A tal pessoa perguntaria: "Qual é o fundamento para sua afirmação de que em tal tempo você se tornou uma nova criatura?".

A única base verdadeira reside não no fato de que em certa hora de reavivamento a pessoa transformou-se em nova criatura, mas no que a Palavra de Deus declarou, a saber, se alguém está em Cristo Jesus, é nova criatura.

Talvez alguém argumente que a despeito do que as Escrituras dizem a respeito de ser ele uma nova criatura, examinando-se a si mesmo não parece ser muito novo.

Novamente minha resposta seria: são muitos os pecadores e os santos que têm falta de fé!

Permita-me encorajar todos nós a ajoelhar-nos e orar: "Deus, louvo-te e dou-te graças; tua Palavra diz que se alguém está em Cristo é nova criatura. Estou em Cristo, portanto sou nova criatura." Sempre que lhe vier a tentação que lhe diz que você ainda é uma velha criatura, você precisa somente responder com a Palavra de Deus que diz que você está em Cristo e logo é nova criatura; Satanás baterá apressadamente em retirada.

Ou, se você simplesmente ficar do lado da Palavra de Deus e não der nenhuma atenção à tentação, também terá a vitória. Pois a vitória não depende de sentimentos, mas da Palavra de Deus.

Permita-me reiterar uma vez mais a verdade de que Deus nada fará em você. Se ele extraísse a raiz de nosso pecado, não teríamos necessidade de confiar nele desse dia em diante. Mas Deus realizou todas as coisas em Cristo a fim de que possamos ir a ele dia após dia. Ele não pode mentir; o que ele diz é verdade. E, se crermos, tal confiança será nossa. Esse é o segredo da vitória.

"Para louvor da glória de sua graça, que ele nos concedeu gratuitamente no Amado" (Efésios 1.6).

Deus aceita-nos somente eu seu Amado — a saber, em Cristo. Ninguém pode ser aceito por Deus fora de Cristo, pois Deus somente pode receber-nos e aceitar-nos nele.

"No qual [o Filho do amor de Deus] temos a redenção, a remissão dos pecados" (Colossenses 1.14).

Redenção e remissão são algo que só se encontra em Cristo. Suponhamos que um cristão tenha pecado e peça a Deus que lhe perdoe. Você sabe quando Deus lhe perdoa? Alguns dizem que devemos orar até receber paz no coração, pois é essa a evidência do perdão. Existem muitos que têm cometido muitos pecados e no entanto o coração deles não está em paz. Há muitos também cujos pecados já foram perdoados, mas ainda se sentem conturbados. Quão totalmente incerto é o sentimento humano! Caso o cristão tenha pecado, por quanto tempo você lhe dirá que deve orar a fim de receber o perdão? Que se saiba que há mais de mil e novecentos anos Cristo já tinha levado nossos pecados: que você já tinha morrido na morte de Cristo, e assim já recebeu o perdão. Tudo está bem se simplesmente você se apropriar do que Cristo já realizou por você. Se esperar que Deus faça algo novo em você, poderá ter de esperar até que chegue a eternidade. Hoje, quando pedimos perdão a Deus, isso significa simplesmente deixar que o perdão que já está em Cristo flua para dentro de nós. Recebemos perdão por crermos que Deus já nos perdoou em Cristo. Isso não depende de sentimento.

"Aquele [Cristo] que não conheceu pecado, ele [Deus] o fez pecado por nós; para que, nele, fôssemos feitos justiça de Deus" (2Coríntios 5.21).

Somos justificados por estarmos em Cristo. Não é por termos feito boas obras que Deus nos justifica.

Deus nos justifica em seu Filho. Se esperarmos até sermos justos para crer, jamais creremos.

> À igreja de Deus que está em Corinto, aos santificados em Cristo Jesus, chamados para ser santos, com todos os que em todo lugar invocam o nome de nosso Senhor Jesus Cristo, Senhor deles e nosso (1Coríntios 1.2).

Assim como somos justificados por estarmos em Cristo, também somos santificados por estarmos nele. O grande erro de muitos é presumir que em dado mês ou em certo dia Deus lhes concede santificação e assim são santificados. Permita-me dizer-lhe que, se você hoje espera que Deus o santifique, jamais será santificado. Você somente pode apropriar-se do que Cristo já realizou por você.

Preferiríamos ser como a luz de um carro que provém da pouca eletricidade armazenada no carro. Mas, se estamos em Cristo, seremos como uma luz de uma casa. Embora a eletricidade não esteja na lâmpada, flui para ela; pois assim que se liga o interruptor, a conexão é feita e a luz se acende. Mas, quando se desliga o interruptor e a conexão é desfeita, a luz se apaga. Ora, enquanto permanecemos unidos com Cristo, temos tudo; mas se houver interrupções, seremos como os gentios. Nunca obra alguma foi feita em nós, uma vez que tudo foi feito em Cristo. Somos simples condutores.

> Porque eu estou bem certo de que nem a morte, nem a vida, nem os anjos, nem os principados, nem as cousas do presente, nem do porvir, nem os poderes, nem a altura, nem a profundidade, nem qualquer outra criatura poderá separar-nos do amor de Deus, que está em Cristo Jesus, nosso Senhor (Romanos 8.38,39).

Nenhuma dessas coisas pode separar-nos do amor de Deus por um motivo muito importante — e este é o amor em Cristo Jesus. "[...] nele, [Cristo] estais aperfeiçoados [...]" (Colossenses 2.10).

Nosso aperfeiçoamento não é devido a alguma coisa feita em nós, mas devido ao nosso estar em Cristo. "Porque a lei do Espírito da vida, em Cristo Jesus, te livrou da lei do pecado e da morte" (Romanos 8.2). Somos libertos não por causa de nós mesmos, mas por estarmos em Cristo. Bem-aventurado é aquele que crê nisso. Deus "nos tem abençoado com toda sorte de bênção espiritual nas regiões celestiais em Cristo" (Efésios 1.3). Podemos desfrutar desse versículo sem limite de tempo. Toda sorte de bênção que existe está em Cristo. Tendo um versículo como esse, a pessoa pode continuamente dizer: "Graças e louvor a Deus, pois ele me deu toda sorte de bênção espiritual nas regiões celestiais em Cristo".

A extensão de sua fé no que Deus disse denotará a extensão de que tudo o que ele disse será real para você.

"[...] para que tenhais paz em mim [Jesus] [...]" (João 16.33). Não se encontra paz fora do Senhor. Enquanto permanecemos no Senhor, temos a paz do Senhor.

"Se há, pois, alguma exortação em Cristo, alguma consolação de amor, alguma comunhão do Espírito, se há entranhados afetos e misericórdias" (Filipenses 2.1). Tudo está em Cristo.

"Conheço um homem em Cristo [...]" (2Coríntios 12.2). Eis um homem em Cristo, um homem que está totalmente nele.

Oh, se cuidadosamente lermos a Bíblia, não pediremos que Deus faça nada em nós. No caso de estarmos esperando que ele faça algo em nós, ficaremos desapontados não somente hoje e amanhã, mas até o dia em que partirmos deste mundo. No reino natural, se o interruptor estiver desligado, como é que alguém pode esperar que a luz brilhe? Mas assim que ligamos o interruptor, a luz chega imediatamente. Assim também é no reino espiritual; sem crer constantemente em Cristo, não temos a vitória.

Precisamos de Cristo em cada momento. Nele temos tudo.

II. Como estar em Cristo

Aquele que crê em Cristo está em Cristo. "Porque Deus amou ao mundo de tal maneira que deu o seu Filho unigênito, para que todo o que nele crê não pereça, mas tenha a vida eterna" (João 3.16). Isso é união. Cremos em Cristo.

Tendo crido em Cristo, devemos também ser batizados nele. Ser batizado na água é ser batizado em Cristo: "Ou, porventura, ignorais que todos nós que fomos batizados em Cristo Jesus fomos batizados na sua morte?" (Romanos 6.3). Assim como a pessoa é batizada na água, também é batizada em Cristo. Se colocássemos uma moeda de cobre numa garrafa de ácido sulfúrico, a moeda desapareceria porque se derreteria no ácido. Da mesma forma, quando a pessoa é batizada em Cristo torna-se uma com ele. Isso é fé.

De Deus somos um em Cristo (veja 1Coríntios 1.30). É Deus quem nos batiza em Cristo. Ao crermos interiormente e sermos batizados externamente, Deus nos une a Cristo. E assim temos a justiça, a santificação e a redenção. Não temos justiça nenhuma, porém Cristo é a nossa justiça. Não temos santificação alguma, mas Cristo é nossa santificação. Não temos redenção alguma, mas ele é nossa redenção. Veremos Cristo em todas as coisas. Possa Deus tirar o véu que nos cobre para que vejamos quão perfeita é a obra que realizou para nós.

Hudson Taylor despendeu grande esforço na busca da vitória. Ele reconheceu que a despeito de seu pedir constante, Deus não lhe concedia vitória. Certo dia, ele leu as palavras de Cristo em João 15.5: "Eu sou a videira, vós, os ramos [...]". Instantaneamente, recebeu a luz. Ajoelhando-se, orou: "Sou a pessoa mais boba do mundo inteiro. A vida vitoriosa que procuro é algo que já possuo. Vós sois os ramos, disse Jesus; ele não disse que nos tornaríamos um ramo". Por muitos anos, ele pediu que fosse ligado à árvore como um ramo, sem perceber que já era um ramo ligado à árvore. Mas foi somente depois de receber a revelação de

Deus que teve fé real. Desse dia em diante, teve uma vida vitoriosa e realizou grandes coisas para o Senhor. Algum tempo mais tarde, pediram-lhe que falasse na Convenção de Keswick, na Inglaterra, e foi essa a história que ele contou lá. Ele disse: "Eu estava derrotado, logo procurava a vitória; mas a vitória nunca chegava. Mas no dia em que eu cri, a vitória chegou".

Percebamos que não é preciso esforçar-nos a fim de receber a seiva da raiz para alimentar-nos, pois já somos ramos unidos à árvore. Não precisamos preocupar-nos com nada, exceto permanecermos ramos. Não devemos tentar conseguir algo da árvore, mas simplesmente que sejamos os ramos. Deus nos uniu a Cristo, a árvore. E tudo o que é de Cristo é nosso. Crendo, temos a vitória. Por um lado, somos batizados em Cristo e, por outro, mantemos contato com ele por meio do pão e do cálice. Assim fazendo, permitimos que sua vida flua através de nós.

3

O PODER DE ESCOLHER

> Portanto, o Senhor mesmo vos dará um sinal: eis que a virgem conceberá e dará à luz um filho e lhe chamará Emanuel. Ele comerá manteiga e mel quando souber desprezar o mal e escolher o bem (Isaías 7.14,15).

Em algumas traduções bíblicas em inglês, em nota à margem do versículo 15, encontramos: "Manteiga e mel comerá, para que possa saber desprezar o mal e escolher o bem". De forma que não é depois de saber desprezar o mal e escolher o bem que ele come manteiga e mel; antes, é porque come manteiga e mel que sabe desprezar o mal e escolher o bem.

Desejamos aprender um pouco mais a respeito do Senhor Jesus nessa passagem. Você e eu sabemos quão perfeita foi a vida de nosso Senhor aqui na terra. Ao lermos os quatro Evangelhos, notamos quão bom e perfeito foi o modo de vida de nosso Senhor aqui.

Mas desses quatro relatos somente não podemos descobrir por que nosso Senhor pôde levar uma vida assim "sobre-humana" ou por que ele é tão perfeito ou por que ele é o Filho do homem. Isaías 7.15 dá-nos o motivo. Por que sabe ele desprezar o mal e escolher o bem? Por que sabe ele rejeitar o mundo e escolher a vontade de Deus? Por que sabe ele negar a glória do homem e desejar somente a glória de Deus? Tudo isso está revelado em Isaías.

Todos nós concordamos que o versículo ("[...] eis que a virgem conceberá e dará à luz um filho e lhe chamará Emanuel") aponta para o Messias, nosso Senhor Jesus. Infelizmente muitos negligenciam o versículo seguinte. É preciso que compreendamos que não é somente o versículo 14 que aponta para o Senhor; o versículo 15 declara que durante toda a sua vida ele comerá manteiga e mel. E por se alimentar assim por toda a vida, será capaz de escolher o bem e desprezar o mal, será capaz de obedecer a Deus e procurar a sua glória, e será capaz de ganhar a satisfação do coração de Deus.

Qual é o significado de manteiga e mel? De todos os sabores, o da manteiga é o mais rico. E de todas as coisas da terra, nada é mais doce que o mel. Assim, manteiga representa o mais rico, e mel, o mais doce.

O que diz a Bíblia ser a coisa mais rica? A graça de Deus (Efésios 1.7). O que diz a Bíblia ser a mais doce? O amor de Deus (Cantares de Salomão 2.3). Deus põe a riqueza de sua graça e a doçura de seu amor perante o Senhor Jesus para que ele coma. Logo, ele pode obedecer a Deus e escolher sua vontade, desprezar o mal e escolher o bem. Por alguns momentos, pois, gostaria de laborar sobre como o Senhor, por toda a vida, comeu manteiga e mel, e também como em consequência desprezou o mal e escolheu o bem.

Primeiro: seus primeiros anos (Lucas 2.41-51)

Aos 12 anos de idade, Jesus foi com seus pais a Jerusalém para a festa da Páscoa. Depois de se cumprirem os dias, seus pais voltaram; mas o menino Jesus ficou em Jerusalém. Mais tarde, seus pais voltaram à cidade procurando por ele. Três dias depois, encontraram-no no templo. Disse-lhe sua mãe: "Filho, por que fizeste assim conosco? Teu pai e eu, aflitos, estamos à tua procura". Respondendo, o Senhor não disse: "Não sabíeis que me cumpria fazer a vontade de Deus?". Em vez disso, ele diz: "Não sabíeis que me cumpria estar na casa de meu Pai? [ou cuidando dos negócios de meu Pai]?" Aqui o Senhor tinha a manteiga e o mel.

Aos 12 anos de idade, Jesus já conhecia ao Pai. Ele tinha a manteiga e o mel celestiais. Porque ele tinha o mais rico e o mais doce, podia viver na vontade de Deus. Se isso tivesse acontecido conosco, provavelmente teríamos respondido: "Voltem para Nazaré e continuem o trabalho de carpintaria e de cuidar da casa, mas eu não vou. Deixem-me permanecer no templo". Entretanto, nosso Senhor não respondeu dessa maneira. Por um lado, deu seu testemunho; por outro lado, desceu com seus pais a Nazaré e era-lhes submisso. Ele podia fazer essa escolha difícil porque tinha provado da riqueza e da doçura de Deus.

Ora, a mãe de Jesus era uma das melhores mulheres do mundo; ao mesmo tempo, porém, era também uma mulher "pequena". Muitas vezes as melhores pessoas são as que menos inteligência possuem. Descobrimos, nos quatro Evangelhos, que Maria, com frequência, perturbava o Senhor. Quando o vinho acabou nas bodas em Caná, ela disse ao Senhor: "Eles não têm mais vinho" (João 2.3). Quando o Senhor ensinava às multidões, mandou-lhe dizer que desejava falar com ele (Marcos 3.31). Entretanto, a Escritura diz: "E desceu com eles para Nazaré; e era-lhes submisso". Essa foi a escolha do Senhor, algo difícil para o homem. Ele podia ter se recusado a voltar e escolhido permanecer no templo, mas preferiu voltar para casa e viver com Maria que tinha pouca compreensão. Por ter comido manteiga e mel, podia escolher o que era difícil para o homem.

Segundo: batizado com o batismo de João (Mateus 3.13-17)

Quando João Batista viu a Jesus que vinha para ele, disse: "[...] Eis o Cordeiro de Deus, que tira o pecado do mundo!" (João 1.29). Uma vez mais, João disse dele: "[...] aquele que vem depois de mim é mais poderoso do que eu [...]" (Mateus 3.11). Quanto mais poderoso? "[...] cujas sandálias não sou digno de levar [...]", disse ele (Mateus 3.11). O Senhor era assim tão poderoso, entretanto foi a João para ser batizado. Se estivéssemos em seu lugar — isto é, no lugar de sua grandeza desde a eternidade como rei do reino dos céus — sem dúvida seríamos acompanhados por toda a pompa de nossa alta posição. Embora jamais reconhecêssemos o fato abertamente, é fácil para nós exibir nossa excelência. Nosso orgulho é inato e natural. Simplesmente adoramos expor nossa grandeza aos outros. Mas nosso Senhor foi ao Jordão e recebeu o batismo de João.

Você acha que é fácil receber o batismo do homem?

Existiu em Foochow uma irmã idosa. Era uma boa mulher. Em certa época, reconheceu que deveria ser batizada, mas ela mesma escolheu a pessoa que a deveria batizar. Respeitava certos irmãos, mas desprezava outros. Insistiu em que determinado irmão a batizasse. Aquele que tem levado uma vida melhor sobre a terra e mais tarde procura o batismo escolhe uma pessoa a quem ele ou ela respeita a fim de realizar seu batismo.

Ora, nosso Senhor era muito especial. Ele era tão diferente que surpreendeu João, que tentou dissuadi-lo, dizendo: "Eu é que preciso ser batizado por ti, e tu vens a mim?". Qual, pensa você, foi a resposta do Senhor? "Deixa por enquanto, porque, assim, nos convém cumprir toda a justiça." Ele preferiu vir ao Jordão e entrar na água da morte. Escolheu a humildade, escolheu a morte, assim cumprindo toda a justiça. Na realidade, a justiça á realizada na cruz, mas estava representada na água da morte para Jesus. Ele escolheu o bem e desprezou o mal.

Você já pensou em quão difícil deve ter sido para o Senhor receber o batismo de João? Pois o que podia acontecer à sua dignidade perante os pecadores, os publicanos e as prostitutas? Não recebiam eles também o batismo de João? E mais tarde, ao começar a pregar, ele proclamava como João: "[...] Arrependei-vos, porque está próximo o reino dos céus" (Mateus 4.17). Seu auditório era igual ao de João. Certo publicano podia dizer-lhe: "Não foi ele batizado conosco naquele dia? Como é que agora pretende ensinar-nos?". Outro pecador com justificação igual poderia declarar: "Ele foi batizado conosco naquele dia. Como ousa vir ensinar a nós?". Quão difícil e humilhante deve ter sido para Jesus!

De fato, mais tarde esse problema surgiu. Quando o Senhor e seus discípulos estavam na Judeia batizando, alguns foram a João reclamar: "[...] Mestre, aquele que estava contigo além do Jordão, do qual tens dado testemunho, está batizando, e todos lhe saem ao encontro" (João 3.26). Isso prova quanto desprezavam o Senhor. O Senhor deveras se coloca nessa posição difícil, mas escolhe fazer isso por haver força por trás de sua decisão. Ele provara a grandeza da graça abundante e o doce amor de Deus. Ele comera manteiga e mel. Tendo provado o mais abundante e o mais doce, pode tomar o lugar mais humilde.

Da mesma forma, podemos humilhar-nos a nós mesmos e tomar o lugar mais humilde porque também temos a manteiga e o mel. O que o mundo não consegue fazer, nós, os cristãos, podemos, pois temos a graça mais abundante e o amor mais doce.

Terceiro: no tempo da tentação (Mateus 4.1-10)

Depois de o Senhor ter sido batizado, e ao sair da água, os céus subitamente se abriram e o Espírito Santo desceu como pomba, vindo sobre ele. Foi levado pelo Espírito, ao deserto, para ser tentado pelo diabo por 40 dias e 40 noites. O próprio Satanás parece tê-lo tentado dizendo: "Se és Filho de Deus, manda que estas pedras se transformem em pães".

Comer quando se tem fome não é pecado, mas o Senhor recusou-se a comer aqui. O tentador procurava levar o Senhor a fazer alguma coisa segundo sua própria vontade. Tentou seduzir Jesus a usar seus próprios meios a fim de satisfazer a fome. Mas o Senhor respondeu: "Não só de pão viverá o homem, mas de toda palavra que procede da boca de Deus". Ele está disposto a passar fome, e pode suportar a fome. Se desejamos viver como nosso Senhor viveu, devemos receber diariamente do céu a manteiga e o mel. O Senhor é muito capaz de transformar pedras em pães, mas não precisa disso porque já tem a manteiga e o mel.

Suponhamos que exista um pouco de prazer, um pouco de conforto ou glória ao nosso estalar dos dedos. Você pode tê-lo se disser sim, ou pode tê-lo até mesmo sem dizer nada. Já está dentro de sua esfera de influência. Pode consegui-lo sem esforço. O que fará? Nosso Senhor não está disposto a transformar pedras em pães, mas como desejamos poder fazê-lo — não meramente transformar uma pedra em pão, mas todas as pedras do Jordão!

Como ansiamos exercer nossa força máxima para nós mesmos! Isso é porque não provamos da manteiga e do mel do céu. Se tivéssemos comido dessa maneira, seríamos capazes de deixar de lado o que poderia ser nosso e desistir do que está ao nosso alcance. Somente uma espécie de pessoa no mundo sabe como ofertar a Deus — são os que experimentam a graça de Deus.

A tentação que Jesus sofreu no deserto não se restringiu a uma única área. Pois Satanás disse: "Se és Filho de Deus, atira-te abaixo". Quão maravilhoso seria descer voando do céu! As pessoas não o reconheceriam imediatamente como o Messias? Ele podia ganhar glória imensa pelo expediente mais simples. Entretanto, o Senhor recusou-se a fazer isso. Pela terceira vez Satanás lhe disse: "Tudo isto te darei se, prostrado, me adorares". Não é fácil ganhar o mundo todo e toda a sua glória com uma simples mesura? Não obstante, por melhor que sejam todos os reinos do mundo, nosso Senhor é capaz de deixá-los de lado e negá-los por ter poder em si. Conhece a Deus de uma maneira que vai além de nós; ele está cheio do Espírito Santo de um modo que não o possuímos; e já provou da abundância da graça e da doçura do amor a um grau que não experimentamos.

Quarto: O Senhor repreende Pedro (Mateus 16.21-34)

Em duas de três ocasiões distintas, Pedro ouviu o Senhor dizer que deveria ir a Jerusalém, sofrer nas mãos dos anciãos, dos sacerdotes e dos escribas, e ser morto — e que ressuscitaria dos mortos depois de três dias.

Pedro não podia suportar tal ideia. Começou a ter pena do Senhor e disse-lhe: "Tem compaixão de ti, Senhor; isso de modo algum te acontecerá". Poderíamos pensar que Jesus provavelmente haveria de confortar Pedro, dizendo: "Seu amor por mim é deveras grande, Pedro, mas não posso deixar de ir a Jerusalém para morrer". Em vez disso, o Senhor repreendeu seu discípulo com severidade: "Arreda, Satanás! Tu és para mim pedra de tropeço, porque não cogitas das cousas de Deus e sim das dos homens". O Senhor fez uma escolha definida aqui: escolheu a morte.

Se houver alguém neste mundo que escolheu a cruz e andou pelo caminho estreito, tenho certeza de que essa pessoa deve ter provado da abundância da graça de Deus e da doçura de seu amor.

Recentemente o jornal *Intelligence* registrou o martírio de duas missionárias em Fukien. Ambas eram britânicas e serviam nessa província. Foram sequestradas por bandidos e um mês atrás foram mortas. Ambas eram senhoras de idade e de grande profundeza no Senhor. Uma dessas missionárias escreveu um poema antes de ser morta. Deu-lhe o título de "O Mártir". Nesse poema, encontramos o seguinte: "O rosto do mártir é o rosto de um anjo! O coração do mártir é o coração de um leão!".

O rosto do anjo é a coisa mais linda, e o coração do leão, a mais majestosa. Quão maravilhoso que uma mártir escrevesse um poema de mártir! Antes de morrer, escrevera uma carta à sua amiga, dizendo: "A graça de Deus é suficiente para mim. Embora eu possa perceber, pelo ambiente, em que situação perigosa e difícil me encontro, jamais em minha vida senti-me tão próxima de Deus".

Outro missionário da Missão do Interior da China também foi sequestrado e solto mais tarde. Um amigo perguntou-lhe a respeito da experiência. Respondeu que na noite em que ouviu o silvar de balas e parecia não haver jeito de escapar com vida, foi cheio de uma paz e uma alegria que nunca havia experimentado desde sua regeneração.

Deve haver um motivo por trás do martírio. Deve existir nessa pessoa um poder por demais incomum. Nunca pense, nem por um momento, que Deus nos dá os salários mais baixos enquanto exige que nós, "fracotes", carreguemos responsabilidade insuportável. Não, nosso Deus nos dá manteiga e mel para que possamos deixar de lado todas as coisas e até mesmo morrer pela verdade. E aqui não profiro uma palavra falsa nem vazia. Eu a conheço, e muitos a conhecem. Todos os que são capazes de desprezar as coisas não procuram nada para si mesmos, mas escolhem a parte difícil, possuem em si um poder tremendo, assim como Cristo possuiu. Por causa do poder que nele existia, o Senhor Jesus pôde desprezar o mal e escolher o bem.

Quinto: em sua transfiguração (Lucas 9.28-31)

No monte da transfiguração, o Senhor manifestou o máximo de sua humanidade perante Deus e os homens. A Bíblia jamais ensina que somos sem mancha nesta vida (temos, deveras, faltas e manchas); ela somente afirma que Deus pode manter-nos inculpáveis nesta vida. Mas nesta vida nosso

Senhor é sem mancha alguma. Já mencionei a transfiguração de Jesus no monte. Muitos comentaristas concordam que o Senhor poderia muito bem ter ascendido ao céu desse monte e Deus não poderia recusar-se a recebê-lo. Com referência a isso, observe esta passagem: "A terra por si mesma frutifica: primeiro a erva, depois, a espiga, e, por fim, o grão cheio na espiga. E, quando o fruto já está maduro, logo se lhe mete a foice, porque é chegada a ceifa" (Marcos 4.28,29). Uma vez que o Senhor já estava maduro (isto é, a essa altura já estava completamente amadurecido), ele poderia ter sido recebido de volta. Entretanto, conversou com Moisés e Elias a respeito de sua partida que estava prestes a se realizar em Jerusalém. Ao voltar para o vale abaixo, Jesus estava ainda mais decidido a ir a Jerusalém: tinha o rosto determinadamente voltado para seu objetivo. Escolheu a morte.

Aqui, portanto, vemos outra escolha de nosso Senhor. Jesus pôde recusar-se ascender ao céu do monte da transfiguração e escolher o caminho de Jerusalém e da morte porque tinha comido da manteiga e do mel celestiais. Ele pôde decidir não ascender e ir ter com o Pai, mas descer à cruz, por ter provado da graça e também do amor de Deus.

Sem a graça e o amor de Deus, quem pode suportar sofrimento como esse? Alguns filhos podem sofrer pelos pais, mas não sofrem de boa vontade. Alguns estudantes podem obedecer aos mestres sob compulsão. Somente Cristo pôde fazer a escolha boa, embora difícil, com um coração disposto por ter provado da manteiga e do mel — do mais abundante e do mais doce.

Sexto: entrando em Jerusalém (João 12.12-28)

As duas ocasiões mais gloriosas da vida de nosso Senhor são a experiência do monte da transfiguração e sua entrada em Jerusalém. Ao entrar em Jerusalém, muita gente tomou galhos de palmeiras e saiu a encontrá-lo, clamando: "Hosana! Bendito o que vem em nome do Senhor e que é Rei de Israel!". Essas palavras foram proferidas pelos judeus. Nessa época, o Senhor ainda tinha muitos amigos. Lázaro tinha sido recentemente ressuscitado dos mortos, algumas pessoas haviam preparado uma festa para o Senhor, e alguns gregos vieram a Filipe, dizendo: "Senhor, queremos ver Jesus". Até seus inimigos, os fariseus, diziam uns aos outros: "Vede que nada aproveitais! Eis aí vai o mundo após ele".

Nessa juntura, ele poderia ter conseguido tudo o que quisesse. Mas quando André e Filipe vieram falar ao Senhor Jesus do desejo dos gregos, qual foi sua resposta? "Em verdade, em verdade vos digo: se o grão de trigo, caindo na terra, não morrer, fica ele só; mas, se morrer, produz muito fruto" (João 12.24). Aqui fez mais uma escolha. Ele poderia ganhar glória e tornar-se rei, mas escolheu o oposto. Como meu coração se comove com o que ele disse: "se o grão de trigo, caindo na terra, não morrer, fica ele só; mas, se morrer, produz muito fruto"!

"Agora está angustiada a minha alma, e que direi eu?" Isso indica quanto o coração e a boca do Senhor andavam de acordo. "Pai, salva-me desta hora? Mas precisamente com este propósito vim para esta hora." O Senhor poderia ter pedido que o Pai o livrasse dessa hora, entretanto ele sabia que tinha vindo para essa mesma hora. Uma vez mais, desprezou o mal e escolheu o bem. Anteriormente, ao notarmos essas coisas, perguntamos a nós mesmos como é que ele podia fazer tais escolhas. Agora, entretanto, diz-nos a Bíblia em Isaías como é que ele pôde escolher o bem e desprezar o mal: ele provou da manteiga e do mel, da abundância da graça e da doçura do amor.

Sétimo: no Getsêmani (Mateus 26.36-46)

Finalmente, no jardim do Getsêmani, o Senhor fez a escolha maior! Ali poderia dizer que não desejava morrer. Ele orou: "Meu Pai, se possível, passe de mim este cálice!". Mas imediatamente acrescentou: "Todavia, não seja como eu quero, e sim como tu queres". Embora visse a hediondez do cálice, não ousou seguir sua própria vontade. Não temia o cálice; antes, sua virtude santa rebelava-se contra o levar os pecados. Antes de saber que o cálice e a vontade de Deus se tinham tornado uma, podia legitimamente pedir: "se possível, passe de mim este cálice"; mas tal pedido foi imediatamente seguido da afirmativa: "não seja como eu quero, e sim como tu queres". De modo que, no jardim do Getsêmani, ele escolheu a vontade de Deus e rejeitou o que não era de sua vontade. E o que disse Jesus finalmente a Pedro? "[...] não beberei, porventura, o cálice que o Pai me deu?" (João 18.11)

Deixe-me dizer-lhe que, se não tivesse havido Getsêmani, não poderia ter existido a cruz. Sem a obediência do jardim, não teria havido a morte do Calvário. A obediência precedeu a cruz. Nosso Senhor "a si mesmo se humilhou, tornando-se obediente até à morte e morte de cruz" (Filipenses 2.8). Muitos fogem da cruz por não se terem saído bem na consagração do Getsêmani. Não têm em si mesmos o poder. Mas nosso Senhor tinha a manteiga e o mel; portanto podia escolher o bem e desprezar o mal.

É preciso grande poder para ser obediente! Se Deus primeiro não lhe encher o coração, você não terá êxito, não importa quanto possa tentar externamente. Precisamos aprender a chegarmo-nos a Deus diariamente e receber do céu tanto a manteiga como o mel para que dia a dia vivamos na terra escolhendo o bem e desprezando o mal.

Falo a vocês hoje desta maneira porque tenho dentro em mim um profundo sentimento de que a volta do Senhor é iminente e que o reino está próximo. Logo, as tentações serão maiores, os perigos se multiplicarão e as decepções serão mais profundas. Antes era questão de livrar-nos do pecado; agora é questão de livrar-nos do prazer. Antes era receber o despojamento de Deus; agora é obedecer com coração disposto. Antes era o caso de levar o jugo com relutância; agora é escolher a cruz voluntariamente.

Prevemos hoje muitas coisas que nos acontecerão nos dias vindouros se não soubermos como desprezar o mal e escolher o bem. Satanás nos oferecerá mais vantagens, o mundo parecerá mais gracioso dando-nos muitas coisas, e nosso ambiente também nos será mais útil. Se não desprezarmos, não venceremos. Como podemos vencer o mundo? Se o Senhor não tivesse escolhido morrer, poderia ter vivido porque lhe era possível não ter morrido. Oh, percebamos uma coisa: não importa o que se nos coloquem à frente, poderemos escolher com simplicidade de coração somente porque recebemos a manteiga e o mel celestiais! Daí que devemos receber manteiga e mel diariamente do céu para que possamos saber o que escolher e o que desprezar. Não deixemos que nosso ambiente escolha por nós.

4

ESPIRITUAL OU MENTAL?

> O qual nos habilitou para sermos ministros de uma nova aliança, não da letra, mas do espírito; porque a letra mata, mas o espírito vivifica (2Coríntios 3.6).

A palavra "letra" aqui aponta para a Lei. Comparando a Lei com o Espírito Santo, descobrimos que a Lei nada pode fazer para o homem, a não ser matá-lo, pois não possui o poder de dar a vida como o possui o Espírito. "O espírito", diz Jesus "é o que vivifica" (João 6.63). Nada, a não ser o Espírito Santo, pode dar vida. Até a vida de Deus está no Espírito Santo. Além disso, nosso mundo físico foi restaurado, no princípio, por meio da atividade do Espírito Santo (Gênesis 1.2). E o nascimento do Senhor Jesus, como Deus na carne, aconteceu pelo poder do Altíssimo. Segundo a revelação da Bíblia, tudo o que possui ou concede vida está no Espírito

Santo, ou é por virtude dele. Mas, uma vez que a Lei é estabelecida na letra, e não no Espírito Santo, faz que o homem morra. Entretanto, não é só na Antiga Aliança que existe a "letra" (isto é, a Lei) que mata; até a Nova Aliança tem a sua "letra". O que a Antiga Aliança ressalta é a Lei; entretanto, a Lei, como nos diz a Escritura, é de Deus, sendo santa, justa e boa (Romanos 7.12). Mas, por existir ausência do Espírito Santo nela, a Lei torna-se a letra que mata, como as outras muitas "letras" no mundo. Entretanto, descobrimos uma possibilidade similar na Nova Aliança. Pois embora muitas das verdades, mandamentos, exortações e ensinos do Evangelho da Nova Aliança sejam de Deus e possam regular a conduta humana e influenciar a moral do comportamento dos homens, não obstante, se estiverem divorciados do poder do Espírito Santo, também serão transformados em letra que mata.

Sem o Espírito de Deus, tudo é morto e sem poder

A verdade que acabamos de enunciar é, infelizmente, negligenciada por muitos cristãos: fora do Espírito Santo não há vida, fora do Espírito de

Deus tudo é morto. Devemos ver claramente que à parte de confiar totalmente na operação do Espírito de Deus, somos absolutamente inúteis. Embora reconheçamos a corrupção da carne, mui frequentemente não compreendemos o poder do Espírito Santo. Logo, a despeito de nossa confissão, não somos libertados do domínio da carne. Deus deseja levar-nos ao ponto em que vivamos inteiramente por seu Espírito. Deseja que compreendamos que todas as nossas obras, feitos, orações e procura da verdade são empresas mortas se não forem o resultado da operação do Espírito Santo em nós e se não forem produzidos por seu poder. Aos olhos de Deus, essas são obras mortas destinadas à sepultura.

O chamado de Deus hoje é que seus filhos obtenham a vida mais abundante. Deseja que nos livremos da morte, vençamos a morte. Entretanto, nossa atenção mui frequentemente é posta em vencer pecados, mas não em vencer a morte. Ainda assim, Deus nos livrará não somente da lei do pecado, mas também da lei da morte: "Porque a lei do Espírito da vida, em Cristo Jesus, te livrou da lei do pecado e da morte" (Romanos 8.2). Somente o Espírito pode conceder essa vida.

Onde existe ausência dele, não há vida alguma; antes, o enchimento da morte. Os cristãos deveriam não somente refrear-se do pecar, mas também vencer a morte e ser cheios de vida. Deus odeia tanto a morte como o pecado. O pecado nos separa dele; e a morte impede nossa comunhão com ele. Vencer o pecado é negativo; ser cheio de vida é positivo.

Precisamos ver que quem está em Cristo tem a vida. Como? Pelo Espírito Santo, pois "a lei do Espírito da vida, em Cristo Jesus [...]".

Assim, o que o versículo 6 de 2Coríntios 3 revela é: (1) que tudo o que é da carne é morto, e (2) que até a Lei perfeita dada por Deus, se estiver fora do Espírito Santo, também é morta, pois a letra mata.

A Palavra de Deus e o Espírito de Deus

A Palavra de Deus e o Espírito de Deus são inseparáveis. Dando-nos a Bíblia, Deus dá-nos sua Palavra, mas ao mesmo tempo acrescenta uma condição: os homens devem receber sua palavra no poder de seu Espírito. Deus apoia sua Palavra com o Espírito; prova sua Palavra com seu Espírito. Usa seu Espírito a fim de preservar sua Palavra para que ninguém fique destituído. Todo aquele que entrar em contato com a Palavra de Deus sem entrar em contato com o Espírito Santo não verá o poder da Palavra de Deus. Pois sem o Espírito de Deus, a Palavra de Deus toma-se letra morta.

"Ora, o homem natural não aceita as cousas do Espírito de Deus, porque lhe são loucura [...]" (1Coríntios 2.14). Para o incrédulo que examina as Escrituras com sua própria sabedoria, a Bíblia não passa de um livro morto. Isso não quer dizer que a Bíblia não seja a Palavra de Deus, nem que a Palavra de Deus não tenha poder. Simplesmente significa que sem o Espírito Santo a Bíblia, na experiência desse incrédulo, simplesmente é um livro morto e sem poder.

A Palavra de Deus permanece a mesma. Para alguns, entretanto, torna-se vida, enquanto para outros é somente letra. Qual o motivo de tal diferença? Não é outro senão que o primeiro tipo de pessoa recebe a Palavra de Deus no poder do Espírito Santo, enquanto o segundo tipo tenta compreender a mesma Palavra pela sabedoria de sua mente.

A Palavra de Deus é poderosa e tem vida. Entretanto, quando a pessoa a recebe só por meio da mente, não experimenta o poder nem a vida da Palavra de Deus. Toda verdade aceita só com a mente torna-se mero pensamento para essa pessoa. Tal verdade não é eficaz para seu caminhar. Não pode depender dela em tempos de necessidade. Embora essa pessoa possa conhecer o argumento, o fato ou o procedimento, não poderá obter o poder que nela está. Para ela e sua vida, a verdade não é verdade, mas só ensinamento vazio, porque não pode demonstrar sua veracidade.

Para que o cristão saiba que recebeu a Palavra de Deus no poder do Espírito Santo, somente precisa perguntar a si mesmo se, ao receber a Palavra, a recebeu com poder em sua vida; porque Deus envia o Espírito Santo a fim de provar ao cristão a veracidade de sua Palavra. Consequentemente, se a Palavra de Deus falha em ser provada, é porque o poder do Espírito está ausente dela.

O perigo, hoje em dia, é que os cristãos ouçam a palavra de Deus, leiam a Bíblia ou procurem a verdade só com a sabedoria da mente. Deus une sua Palavra e seu Espírito, mas o homem tem a tendência de separar a Palavra do Espírito ou o Espírito da Palavra. O perigo dos dois extremos é igual em ambas as direções. Pois, ao separar a Palavra de Deus do Espírito de Deus, o que a pessoa obtém é mera ideia ou mero ideal. E ao separar o Espírito de Deus da Palavra de Deus, a pessoa se transforma numa coisa estranha. Mais pessoas caem na armadilha do primeiro extremo que na do segundo.

Muitos leem a Bíblia como se examinassem um livro científico. É como se, com uma mente fina, um pouco de instrução e esforço próprio, pudessem compreender a Bíblia. Tal tipo de pesquisa pode capacitar a pessoa a conhecer um pouco da história e da doutrina bíblica, mas não a ajudará a experimentar o poder da Palavra de Deus. O Senhor deve levar-nos ao ponto em que dependamos de seu Espírito ao lermos a sua Palavra. Então compreenderemos sua verdade e seu poder. Somente o Espírito Santo pode aplicar a Palavra de Deus com sua vida e poder ao caminhar do cristão. Aceitar a verdade só com o poder mental não o capacitará a experimentar essa vida e esse poder em sua experiência diária.

Diferença real

Qual é a diferença real entre receber a verdade no poder do Espírito e recebê-la no poder da mente?

(A) Se a pessoa adquire alguma verdade religiosa de um livro ou de um mestre ou mesmo da própria Bíblia sem a necessidade de oração, ou sem renunciar a seu próprio poder nem depender completamente do Espírito Santo, ela está recebendo essa verdade no poder de sua mente. Pois a aceitação da verdade no poder da mente significa recebê-la diretamente de um livro, mestre ou da Bíblia, deixando de lado o Espírito Santo. Os fariseus conheciam as Escrituras dessa forma; logo acabaram possuindo algo morto, destituído de qualquer experiência viva perante Deus — pois a Palavra de Deus leva as pessoas a se aproximarem dele, e o próprio Deus é Espírito. Mas o ler a Palavra de Deus sem seu Espírito falha em efetuar qualquer contato entre o homem e Deus.

(B) Os cristãos gálatas voltaram a guardar a Lei depois de terem crido no evangelho e começado a andar pela fé. De modo que Paulo lhes pergunta: "[...] recebestes o Espírito pelas obras da lei ou pela pregação da fé?" (Gálatas 3.2). O que o apóstolo queria dizer era que, deveras, haviam começado com a fé, mas agora confiavam nas obras. E perguntou-lhes mais: "[...] tendo começado no Espírito, estejais, agora, vos aperfeiçoando na carne?"

(3.3). Ele indicava que, deveras, tinham começado dependendo do Espírito, mas que agora começaram a depender da carne. Por essas duas perguntas descobrimos um princípio muitíssimo importante: tudo o que é do Espírito Santo é pela fé, e tudo o que é da carne é pelas obras. O Espírito e a fé estão unidos num só, assim como a carne e as obras são uma. Assim, procurar a verdade com o poder da mente e procurar a verdade no poder do Espírito têm entre si uma diferença vital — o primeiro é sem a fé, e o segundo a requer.

A fim de receber a verdade no Espírito Santo a pessoa deve ter fé. Receber no poder da mente só dá à pessoa algum conhecimento, mas receber no Espírito Santo traz-lhe fé. Exemplifiquemos isso. A comorte do cristão é a fonte da vida e do poder cristãos. A essa verdade temos dado muita ênfase e a temos pregado muitas vezes. Hoje muitos cristãos já compreenderam essa verdade e até mesmo já testificaram dela. Mas quantos realmente receberam essa verdade no Espírito Santo? Seu falar trai a ineficácia de sua experiência. Conheço certo irmão, por exemplo, que pensa realmente conhecer a verdade da comorte. Certa vez, estava pregando e disse: "É necessário que a pessoa morra; se às vezes você não puder morrer, mate-se a si mesmo no poder da cruz". Ora, essas palavras parecem muito espirituais, mas na realidade são muito superficiais. Por quê? Porque ele não tem fé, mas ainda espera consegui-la por si mesmo. Isso mostra que, no que se refere à verdade da comorte, ele só a compreende com sua mente e falta-lhe o poder do Espírito Santo.

Como podemos explicar isso? Se a pessoa realmente desejar experimentar o poder do Espírito Santo, deve, em primeiro lugar, ter fé, pois o Espírito Santo somente opera por ter a pessoa crido na Palavra de Deus. A fé vem primeiro, e então a operação do Espírito no homem. Sem a fé, a verdade que a pessoa conhece não passa de uma ideia, pois o Espírito Santo ainda não operou nela o que a verdade já realizou.

Voltemos à verdade da comorte por alguns instantes. O Espírito Santo nos ensina que, quando Cristo morreu, já nos incluiu em sua morte. E assim como o morrer de Cristo por nós é um fato, também o termos morrido com Cristo é um fato. Assim como é real a morte de Cristo, assim também é real a nossa morte. Assim como somos libertos da penalidade do pecado crendo na morte de Cristo, da mesma forma somos libertos do poder do pecado crendo que já morremos com Cristo. É isso que a Palavra de Deus nos ensina. Então tudo se resume em crermos ou não. Se cremos, o Espírito Santo dará testemunho da Palavra de Deus e fará que experimentemos a realidade de que o pecado não terá domínio sobre nós (Romanos 6.14). E a essa altura podemos verdadeiramente dizer que recebemos a verdade no poder do Espírito.

Disso podemos discernir a ordem necessária para receber a verdade no Espírito Santo: (1) o ensinamento da Bíblia, (2) a fé do cristão e (3) a operação do Espírito Santo. Não pode faltar nenhum desses três fatores. Mas aquele que recebe a verdade pela mente não tem fé. Ouvindo as Escrituras ou ouvindo outros pregarem, ele pode vir a compreender o argumento da comorte e pode conhecer que a pessoa que está morta é livre do pecado. Não obstante, em tudo isso lhe falta a fé; logo, não pode ver claramente a posição do velho homem na morte de Cristo nem pode dizer ser uma pessoa já crucificada com Cristo.

De modo que está continuamente colocando-se à morte e, ao aconselhar outros acerca desse assunto, não pode deixar de dizer: "Devem morrer" (assim como o "certo irmão" de nossa ilustração anterior aconselhou em sua mensagem). Ainda que, às vezes, ofereça orações e comece a compreender a realidade de sua comorte em Cristo, o que o faz confessar com sua boca ser uma pessoa crucificada, não obstante, em seu viver diário, confia mais na autocrucificação do que no já ter sido crucificado com Cristo.

(C) Se a verdade é aceita no Espírito Santo, invariavelmente se tornará na experiência dessa pessoa. O Espírito não revela a verdade meramente para dar ao cristão um pouco mais de material mental. Ele deseja, acima de tudo, levar o cristão ao que a verdade diz. A compreensão mental pode fazer que ele louve a verdade, mas não lhe dará o benefício da verdade. Muitos podem aprovar certa verdade, podem até mesmo amar tal verdade; não obstante, só a possuem mentalmente. Se a verdade não possui poder de produzir efeito na vida da pessoa, é indicação segura de que tal verdade é somente mental e não leva em si o poder do Espírito de Deus.

Precisamos perceber a diferença e também a relação entre o princípio e a prática. O princípio pode ser obtido mediante a revelação do Espírito de Deus. Devido ao acúmulo de conhecimento e à multidão de pregadores, muitos chegaram a compreender numerosos princípios da vida espiritual. Entretanto, muitas vezes, tais princípios estão só em sua mente. A fim de pôr esses princípios em prática na vida, necessitam do Espírito divino. A mente pode entender os princípios, mas somente o Espírito de Deus pode pôr esses princípios em prática. Ao resolver um problema de álgebra, é fácil para o estudante resolver uma equação; entretanto, é um pouco difícil adicionar um assunto a essa equação. Da mesma forma, é bastante fácil aprender um princípio espiritual com a mente, mas pôr esse princípio em prática na vida está além da capacidade mental. Aquele que estuda geografia pode saber as capitais e as grandes cidades das nações do mundo, e também suas situações agrícolas, industriais e comerciais, sem precisar talvez nem mesmo sair de casa. Pela pesquisa, mediante o poder mental, portanto, a pessoa pode compreender muito da Bíblia. Mas, sem depender do Espírito Santo, não terá nenhuma experiência.

O perigo de hoje é que muitos buscam o conhecimento da Bíblia com a mente. Compreendem alguns mistérios, entendem muitos princípios espirituais, colhem alguns significados mais profundos da Palavra de Deus, até mesmo apreciam, até certo grau, a obra realizada por Cristo na cruz. Entretanto, tudo isso está em sua mente. Isso não lhe foi dado pelo Espírito Santo, logo não existe nenhum poder prático envolvido. E o resultado é que a Bíblia fica reduzida ao nível de um tratado científico no qual o leitor e o escritor não têm contato pessoal algum. Por outro lado, a Palavra de Deus — embora seu conteúdo tenha sido dado oralmente muito tempo atrás, e mais tarde tenha sido registrado, formando o que hoje conhecemos como Bíblia — está, não obstante, no Espírito, da mesma forma que Deus está no Espírito. Se o leitor recebe a Palavra de Deus diretamente, sem depender do poder do Espírito Santo, não terá nenhum relacionamento com Deus. Isso reduzirá o valor da Palavra de Deus e a tornará um dentre os livros mortos do mundo.

A compreensão das Escrituras pode ajudar a esclarecer o pensamento e conceitos do homem, mas não terá eficácia prática em sua experiência e obra espirituais. Isso pode explicar, em parte, por que a verdade pode, deveras, ser pregada e no entanto não ter poder nenhum sobre quem a prega nem sobre os que a ouvem. Se a verdade estiver inteiramente circunscrita na mente do pregador, somente alcançará a mente dos ouvintes.

Ter a verdade sem ter o Espírito da verdade é totalmente inútil. Quando o Senhor Jesus disse a seus discípulos ser ele a verdade, continuou dizendo-lhes que o Espírito da verdade viria a fim de conduzi-los a toda a verdade. Compreendamos de uma vez por todas que o cristão é ligado à verdade pelo Espírito da verdade; de outra forma, a verdade permanece como verdade e o cristão permanece como cristão. Assim como os discípulos de antigamente não podiam compreender nem verdadeiramente experimentar Cristo antes de terem recebido o Espírito de Deus, assim também os cristãos de hoje não podem genuinamente conhecer nem experimentar a Palavra de Deus senão pelo poder do Espírito Santo.

Obra espiritual verdadeira

Quem pode asseverar quanto da pregação de hoje procede da sabedoria do homem? A pregação pode ser bem profunda e incluir lições espirituais genuínas; a mesma fé apresentada por ela pode ser sã e as interpretações dadas, lógicas; além disso, tal pregação pode, às vezes, tocar os ouvintes afetando-lhes, até certo ponto, a conduta e a moral. Não obstante, tal pregação pode proceder não do Espírito Santo, mas da sabedoria do homem. Devemos até mesmo estar abertos à possibilidade de que as máximas ditas pelos profundamente experientes, embora na realidade produzam algumas consequências aparentemente satisfatórias estimulando e mudando as pessoas, podem não ser, de fato, o resultado da operação do Espírito Santo.

A carne do homem deve ser eliminada, os esforços do homem devem ser reduzidos a nada; o homem velho com sua sabedoria e habilidade devem ser desfeitos na cruz. Uma vez que Deus possui tudo e pode fazer tudo, ele deve ser tudo.

Tudo deve ser no poder do Espírito Santo.

Alguns pensam que, se o homem for reduzido a zero, a Palavra de Deus sofrerá grandemente — que tudo parará de progredir e que o fruto será diminuído, senão erradicado totalmente. Mas damos ênfase à obra espiritual verdadeira e ao fruto espiritual verdadeiro perante Deus. Somente em circunstâncias como essas, haverá maior utilidade espiritual. A obra feita pela sabedoria do homem pode prosperar de várias maneiras, mas falta-lhe o verdadeiro valor espiritual e é de pouco uso nas mãos de Deus. Somente o Espírito Santo pode fazer a obra de Deus. Quanto menos proeminência tiver o homem, tanto mais manifesto será o poder do Espírito. A obra do Espírito em cinco minutos tem mais utilidade espiritual do que todo o nosso labor de uma noite inteira, que nada consegue. Não é muito melhor esperar pelo mandamento do Senhor e retirar uma rede cheia de peixes em um só lançamento?

O lugar do poder mental

Sendo esse o caso, é o poder mental totalmente inútil na verdade de Deus? Não, o cérebro (ou a mente) tem o seu lugar. Devemos fazer diferença entre usar o espírito do homem e usar sua inteligência. Quem revela a verdade é o Espírito Santo, e quem recebe a revelação do Espírito Santo é o espírito renovado do homem. Somente o espírito renovado do homem pode receber a revelação, o cérebro não pode recebê-la.

Notemos que o trabalho da mente é transmitir. A mente renovada ajuda a transmitir aos outros a verdade recebida em revelação. Mas a mente renovada por si mesma não descobre a verdade de Deus. Uma mente velha pode prejudicar a pessoa no trabalho da transmissão, mas, se o espírito dessa pessoa for renovado, ainda pode receber revelações. Deus põe de lado a velha criação. A deficiência natural não impede que as pessoas recebam revelações, tampouco a eficiência natural ajuda as pessoas a receber revelações. Uma mente excelente pode ajudar na transmissão, mas não pode dar revelação a si mesma nem aos outros.

Vaidade do talento natural

Devido à habilidade natural surpreendente, muitos mestres da Palavra de Deus podem pesquisar, compreender e entregar algumas verdades a outros. E muitos há que dizem estar sendo ajudados por tais mestres. Entretanto, falando francamente, esses mestres nada realizaram de valor espiritual verdadeiro. As pessoas que têm mais talentos naturais geralmente tornam-se mestres dos menos talentosos, mas seu estado espiritual é exatamente o mesmo ou menos; em alguns casos, os que estão sendo ensinados são mais espirituais do que os que ensinam.

O perigo da situação da igreja hoje reside no fato de que muitos dos famosos, em lugares de destaque, estão lá não porque sejam realmente mais espirituais, mas por terem talentos naturais mais elevados. Referimo-nos não somente aos eruditos e sábios do mundo secular, mas especialmente aos famosos do mundo espiritual. Muitos mestres da Bíblia e líderes congregacionais hoje em dia têm êxito não por conhecerem mais do Espírito Santo do que as outras pessoas, mas por voltarem seus talentos naturais superiores à Bíblia e às coisas espirituais. São muitos os assim chamados espirituais que, de fato, não são espirituais! Por quê?

Porque o Espírito Santo não está neles! O conteúdo de seu ensino ou pregação simplesmente é pensamento espiritual da mente. Muito do ensino e da pregação não é senão resultado de pesquisa, e não aprendizagem das lições do Espírito Santo. Naturalmente, portanto, tais líderes só podem ajudar a mente das outras pessoas.

Muitos cristãos acham que, enquanto o talento natural for usado no lugar certo, pode realizar o trabalho de glorificar a Deus! Entretanto, talento natural é talento natural; e ainda que esteja engajado nas coisas espirituais, tal talento não é aceitável a Deus.

O Espírito Santo pode usar o talento natural, mas esse talento deve estar completamente entregue a ele. Deus precisa mais de indivíduos que sejam cheios do Espírito Santo do que de qualquer outro tipo de pessoa. Devemos esclarecer bem o ponto importante levantado pela seguinte pergunta: É por nossos pensamentos serem mais inteligentes que somos capazes de liderar outras pessoas ou é porque na realidade conhecemos o Espírito de Deus?

Devemos ter o Espírito Santo

Deus deseja que saibamos com profundidade que, assim como as Escrituras são inspiradas pelo Espírito Santo, da mesma forma as Escrituras requerem a revelação do Espírito Santo. Assim como a Bíblia foi escrita por homens movidos pelo Espírito de Deus, da mesma forma a Bíblia também precisa de seu espírito para mover as pessoas que a leem. Assim como o Livro Sagrado foi registrado pelo Espírito Santo, assim também o Livro precisa da iluminação do Espírito Santo. Aqui a sabedoria do homem é inútil. Deus também deseja que saibamos que até a interpretação mais clara da Bíblia não é adequada. Nosso poder deve advir do Espírito Santo. A sabedoria do homem pode fazer as pessoas compreenderem o significado das Escrituras, mas não lhes dará o benefício da verdade.

Na procura da verdade, muitos vêm com o motivo errado. Se não buscam satisfazer seu próprio desejo de conhecimento, preparam mensagens para ensinar a outros. Seu motivo básico é resolver dificuldades mentais, e não cultivar sua própria vida espiritual. Uma vez que essa é sua intenção, sentem-se muito cômodos se puderem, afinal, compreender. Pois agora podem ensinar outros. Está claro que não buscam a realidade espiritual.

Só depois de compreendermos que o homem pode ser salvo somente pelo Espírito Santo, que a verdade só pode ser apreendida no Espírito Santo, que a oração só pode ser ouvida mediante o Espírito Santo, e que nossa vida espiritual só pode progredir no Espírito Santo, verdadeiramente creremos no Espírito Santo e dele dependeremos. Quão a miúdo realmente pedimos que Deus nos dê luz? É provável que passemos mais tempo pensando, pesquisando e procurando do que orando. É por isso que o caminhar espiritual de inúmeros cristãos é árido, embora compreendam muitas verdades.

Muito da pregação moderna dá ênfase ao conteúdo mental em vez de pô-la na vida do Espírito. Devemos saber que as obras de valor real são realizadas no espírito das pessoas, e não na mente delas. A obra que Deus reconhece só possui uma feição: a obra de seu Espírito no espírito do homem despejando no espírito do homem a vida de Cristo — quer dando a vida pela primeira vez, quer outorgando a vida mais abundante. O mero receber a aprovação racional dos homens sem haver o derramamento da vida de Cristo neles é obra de vaidade.

Disciplina de Deus

Tal lição é muito difícil de aprender. A carne do homem rebela-se contra Deus por gostar de pecar e por não desejar obedecer à lei de Deus. Ainda que tente agradar a Deus, a carne proclama sua independência dele como se pudesse servi-lo sem esperar o poder que dele vem. Assim, jamais dependerá do Espírito de Deus. Enquanto busca a verdade, a carne mental do homem tem a tendência de pensar que sua própria sabedoria já é suficiente. Deus, portanto, é forçado a deixar que seus filhos passem por experiências dolorosas a fim de ensinar-lhes que tudo o que é obtido por seu próprio poder, com sua própria sabedoria, não pode ajudá-los nem aos outros, e que se disponham a deixar toda a sua força e sabedoria carnais e buscar o Espírito Santo e seu poder. Por exemplo, muitas obras parecem ter um início promissor, mas logo perdem seu apoio entusiasta inicial e gradualmente desaparecem, de modo que alertam os obreiros de Deus de que algo deve ter saído errado. O excitamento da carne dura muito pouco. Dessa forma, Deus leva seus servos a reconhecer quão vazias e vãs são suas obras e que comecem de novo com o Espírito Santo. Quão dolorosa deve ser tal experiência!

Ou tome como outro exemplo da disciplina de Deus a situação seguinte. Há muitos cristãos que pensam saber muito. Pensam ser mais do que vencedores porque conhecem muitas verdades. Entretanto, pela vida, são derrotados vez após vez. Embora tentem com todo o seu esforço agarrar-se a essas verdades, ainda se encontram em desamparo, pois no tempo da batalha as verdades que conhecem tão bem se transformam em armas de palha. Choram e derramam muitas lágrimas. Podem ser as verdades de Deus erradas, ou há alguma outra coisa errada? Oh, Deus quer que eles percebam que somente o Espírito Santo pode manejar a Espada do Espírito (que é a palavra e a verdade de Deus). Quando a carne tenta usar a Espada do Espírito, é como Davi tentando usar a armadura de Saul, totalmente inadequada para sua batalha com Golias. Embora conheçam muito bem a verdade mentalmente, essas pessoas não dependeram do Espírito Santo para tornar sua vida em verdade.

O processo de receber a verdade

A verdade de Deus geralmente vem ao cristão em dois passos sucessivos: (1) na mente e (2) no espírito. Frequentemente vem ao espírito depois de vir à mente. O espaço de tempo pode ser de vários meses ou até mesmo vários anos. Depois de Deus conceder certa verdade a um cristão (isto é, depois que ele começa a conhecer essa verdade em sua mente), ele operará no ambiente para levar o cristão ao ponto de não poder vencer, a não ser mediante essa verdade. Aí então o cristão conhecerá a verdade no poder do Espírito Santo e terá experiência satisfatória dessa verdade. Quão triste, entretanto, é que assim que o cristão conhece a verdade de Deus em sua mente, fica tão contente com isso que não procura ter uma experiência dela, ou começa ensiná-la a outras pessoas. E assim fica difícil para Deus levá-lo à realidade da verdade.

Poder: o sinal inegável

No passado, muitas vezes demos ênfase ao fato de o Espírito Santo ser cheio de vida e de poder; logo, tudo que é do Espírito de Deus, sem exceção, terá vida e poder em si. De modo que, quando vemos uma pessoa que conhece certa verdade mas essa verdade não ajuda sua vida espiritual nem lhe dá poder, uma vez que meramente lhe enche a mente com um lindo pensamento mas não o socorre no tempo de tentação, duvidamos de que haja nessa pessoa a obra do Espírito de Deus. Não fiquemos satisfeitos com palavras significativas. Devemos buscar o poder de Deus. São muitas as vezes em que as pessoas falam da verdade do Espírito Santo sem possuir nem um pouquinho de seu poder. O que o cristão precisa é tão somente da vida de Deus.

É interessante notar que, se a pessoa compreende a verdade de Deus com a mente, deve exercitar-se com frequência a fim de apegar-se a essa verdade. Mas, se conhece a verdade no poder do Espírito Santo e a mantém nesse mesmo poder, não precisará apegar-se a ela no tempo de necessidade, como a pessoa que se afoga procura agarrar a corda que lhe é atirada; antes, ela mesma será segurada e salva pela verdade mediante o Espírito Santo. Essa distinção é bem evidente.

Compreendamos que a verdade de Deus à parte do Espírito de Deus é morta. Assim como não se pode interromper a vida do homem momentaneamente, da mesma forma, o poder dado pelo Espírito deve ser sempre renovado e suprido. O que o Espírito de Deus faz em determinada ocasião pode não ser o que fará em outras. Cada contato com ele traz novo poder. Nossa comunicação com o Espírito Santo não é de uma vez para sempre. Por esse motivo, ao recebermos a verdade de Deus, devemos depender continuamente do poder de Deus. Quando, por exemplo, ouvimos as experiências espirituais dos outros, naturalmente tentamos imitá-las. Esperamos que Deus nos conduza da mesma maneira e dê-nos o mesmo resultado. E quantas vezes ficamos desapontados com isso!

Tal acontece porque a experiência deles procede do Espírito Santo e a nossa é puramente mental. Deus tem de permitir que nos desapontemos muitas vezes para que o procuremos dependendo diretamente do Espírito Santo. A imitação mental é completamente fútil.

Essa mesma conclusão pode ser aplicada ao citarmos passagens bíblicas a fim de ganharmos poder espiritual. Presumimos que, uma vez que a Bíblia foi inspirada pelo Espírito Santo, deve haver poder em citar mais palavras dela. Para surpresa nossa, entretanto, o resultado é negativo. Por quê? Porque o Espírito Santo deve falar de novo e com novidade.

O que devemos procurar hoje, portanto, é que o Espírito Santo nos dê vida mediante a verdade. Devemos buscar sua revelação e sua aplicação.

Devemos permitir que ele transfira a verdade de nossa cabeça para nosso coração. Que possamos crer na Palavra de Deus com todo o nosso coração, acreditando que tudo o que ele diz é verdade. Que nunca possamos estar contentes com o conhecimento de meras teorias.

5

O DIVIDIR ALMA E ESPÍRITO

> Porque a palavra de Deus é viva, e eficaz, e mais cortante do que qualquer espada de dois gumes, e penetra até ao ponto de dividir alma e espírito, juntas e medulas, e é apta para discernir os pensamentos e propósitos do coração. E não há criatura que não seja manifesta na sua presença; pelo contrário, todas as cousas estão descobertas e patentes aos olhos daquele a quem temos de prestar contas (Hebreus 4.12,13).

Primeiro

O dividir alma e espírito é essencial, pois relaciona-se com o crescimento espiritual. Como pode o cristão buscar o que é espiritual se não conhece a distinção entre espírito e alma? Muitas vezes confundirá o que procede da alma como procedendo do espírito, e dessa forma permanece muito tempo no reino do viver da alma em vez de buscar o viver no espírito. A Palavra de Deus cita, muitas vezes, as feições do espírito e também as da alma. Por exemplo, a Bíblia registra a tristeza no espírito e também a tristeza na alma; menciona o alegrar-se no espírito tanto quanto o alegrarmo-nos na alma. Daí as pessoas tiram a conclusão de que, uma vez que as expressões do espírito e da alma são as mesmas, o espírito deve ser a alma. Isso é como se disséssemos: "Já que você se alimenta, e eu também, logo você deve ser eu". Entretanto, Hebreus 4.12 diz que "a palavra de Deus é viva, e eficaz, e mais cortante do que qualquer espada de dois gumes, e penetra até ao ponto de dividir alma e espírito, juntas e medulas, e é apta para discernir os pensamentos e propósitos do coração". Uma vez que alma e espírito devem ser separados, a alma deve ser alma e o espírito deve ser espírito.

Gênesis 2 diz que quando Deus, no princípio, criou o homem, ele o formou "do pó da terra e lhe soprou nas narinas o fôlego de vida, e o homem passou a ser alma vivente" (v. 7). Esse fôlego de vida é o espírito do homem vindo diretamente de Deus, que, ao tocar o corpo do homem, produziu a alma — e o homem tornou-se alma vivente.

O espírito do homem tem consciência de Deus, conhece sua voz e pode comunicar-se com ele. Mas, depois da queda de Adão, seu espírito morreu para Deus; logo, o espírito de Adão (e de todos os seus descendentes) ficou tão opresso pela alma que foi interligado intimamente com ela. Quando a pessoa é salva, seu espírito é vivificado para Deus; mas, devido à união íntima do espírito com a alma por tanto tempo, é preciso que a Palavra de Deus os divida ou os separe.

Segundo

Embora as expressões "da alma" e "do espírito" pareçam semelhantes, pertencem a reinos diferentes — procedem de duas fontes diversas. Se você estiver alegre hoje, essa alegria pode proceder da alma ou do espírito. A alegria está sendo expressa, mas há diferença de procedência. Da mesma forma, você pode sentir-se triste hoje. Ora, pesar é pesar; entretanto, pode advir de fontes diferentes. De onde procede? É esta a pergunta que será feita pelo próprio Deus. Procede essa emoção de sua alma ou do seu espírito?

Por exemplo, Deus prometeu um filho a Abraão. Nessa época, Abraão já era avançado em idade e aparentemente não havia muita esperança. Depois de esperar muito tempo sem ver o cumprimento da promessa de Deus, sua esposa planejou para que ele se casasse com Hagar, sua criada, e assim nasceu Ismael a Abraão. Mas depois de catorze anos, Deus fez a esposa de Abraão, Sara, dar à luz Isaque. Ao lermos os capítulos 15, 16, 17 e 21 de Gênesis, pode ser que não percebamos o que Isaque e Ismael representam; mas ao lermos Gálatas 4, no Novo Testamento, discernimos imediatamente o significado de ambos. Paulo nos diz que um (Isaque) é nascido da promessa e que o outro (Ismael) é nascido segundo a carne (v. 23). Você percebe, agora, a diferença? As pessoas arrazoam que se tão somente conseguirem um filho, tudo está bem. Mas Deus perquire do modo pelo qual esse filho nasceu. Desejamos um filho, quer seja ele Isaque quer Ismael. Entretanto, a Palavra de Deus diz que Ismael representa o que é carnal e Isaque representa o espiritual. Ismael representa o que o homem obtém com sua própria sabedoria e por seu próprio poder; Isaque representa o que procede de Deus e o que é dado por ele.

Logo, o que é da alma? Da alma é aquilo que é feito pela própria pessoa. E o que é espiritual? É aquilo que é feito por Deus. Essas duas coisas são radicalmente diferentes. A pessoa pode fazer algo sem precisar esperar em Deus nem confiar nele. Tal ação procede da carne e da alma. Mas, se a pessoa não pode falar antes que Deus fale, não pode agir, a não ser que Deus aja primeiro; se essa pessoa olha para Deus, espera nele e dele depende, então essa pessoa e sua ação são espirituais. Portanto, perguntemos a nós mesmos se tudo o que fazemos é feito no Espírito Santo. Essa é uma pergunta muitíssimo importante. Muitas vezes nada há de errado com o que fazemos; entretanto, registra-se condenação dentro de nós ao fazermos tal coisa. O motivo desse sentimento interior não é que o que fazemos externamente seja necessariamente errado, mas que a coisa que fazemos não foi iniciada em Deus — isto é, não é resultado da operação do Espírito Santo em nós.

Terceiro

Primeira aos Coríntios 3 trata da edificação. Refere-se à nossa obra e ao nosso serviço para Deus.

Alguns edificam com ouro, prata e pedras preciosas; outros constroem com madeira, feno e palha. Qual é a obra feita com madeira, feno e palha? Nas Escrituras, o ouro, a prata e as pedras preciosas apontam para aquilo que procede de Deus. O ouro representa a glória que procede do Pai; a prata, a redenção que é obra do Filho; e as pedras preciosas, a obra do Espírito Santo, uma vez que essas pedras são compostos formados no subsolo mediante calor intenso.

Aquilo que leva em si a eterna glória de Deus, a cruz do Filho e a organização do Espírito Santo é chamado de ouro, prata e pedras preciosas. Então, para o que apontam a madeira, o feno e a palha? Obviamente para tudo que procede do próprio homem; a glória do homem é como a palha (feno) e como as flores; a natureza do homem é como a madeira; e a obra do homem é como a palha.

Ora, o ouro, a prata e as pedras preciosas geralmente não aparecem na superfície da terra. Têm de ser tirados dos profundos recessos do subsolo. A madeira, o feno e a palha, por outro lado, crescem sobre a face da terra e podem ser obtidos facilmente. Daí depreendemos que tudo o que procede das profundezas, como resultado do que é realizado no profundo do coração dos homens, mostra a obra de Deus neles; mas tudo o que pode ser feito pela carne procede do homem e não tem valor algum. O que pode ser facilmente realizado não possui muito valor espiritual, pois é de procedência externa; mas o que advém das profundezas, por ser de Deus, é de muito valor.

Pode-se notar essa diferença na pregação. Alguns, ao pregar, precisam esperar em Deus até que se forme um fardo, como na concepção. Essa é a obra de ouro, prata e pedras preciosas. Alguns pregam porque seu cérebro é brilhante e seus lábios, eloquentes. E também podem lembrar-se de muitas coisas. Portanto, podem levantar-se e pregar. Edificam ativamente; mas tudo é madeira, feno e palha aos olhos de Deus — logo tem muito pouco valor espiritual.

Certo irmão pregava em determinado lugar. Da perspectiva humana, as condições externas eram excelentes; logo, ele deveria estar razoavelmente alegre. Mas estranhamente, com o passar do tempo, sentia-se esvaziado por dentro. Embora trabalhasse vigorosamente, dentro de si mesmo sentia mais fome, mais aridez e um vazio cada vez mais profundo. Terminada a obra, teve de confessar seus pecados perante Deus e reconhecer que a obra fora feita por ele mesmo.

A questão aqui não se refere à condição externa da obra, mas, principalmente, a quem realiza a obra, isto é, sua origem. Por exemplo, certo pregador pode aprender a dizer as mesmas palavras e pregar a mesma mensagem que outro, entretanto as pessoas veem-no simplesmente como uma pessoa inteligente; enquanto todos percebem que o outro é uma pessoa que conhece a Deus. Diante da presença de alguns servos de Deus, abaixamos a cabeça, dizendo: "Deus está aqui"; com outros, podemos somente dizer que são inteligentes e eloquentes. Se você toca Deus, pode fazer que outras pessoas também o toquem; mas, se você toca somente a alma, só pode fazer que as pessoas toquem você. Quão grande é a diferença!

Quarto

Isso não é verdade somente quanto ao ver a Deus, mas é igualmente verdade em nossa vida na terra.

Certo dia, um cristão foi conversar com um servo de Deus. Temendo a crítica, esse cristão exerceu o máximo de seu poder a fim de conservar-se humilde durante a conversa. Sua atitude e também suas palavras tinham uma tonalidade bem humilde. Mas, ao tentar ser humilde, os que estavam ao redor detectaram esse esforço.

Ora, se a pessoa for verdadeiramente humilde, não precisa exercer tanto esforço. Na verdade, este cristão estava simulando a humildade, portanto requeria grande esforço. Podemos dizer que ele não era humilde? Bem, parecia sê-lo, mas, de fato, era humildade humana, e esse tipo de humildade pertence à alma. Se Deus tivesse operado nesse irmão, ele poderia ter apresentado a humildade natural. Ele mesmo teria sentido ser humilde, e os que estavam ao seu redor também poderiam ter visto a obra de Deus nele.

A senhora que empoa o rosto precisa olhar-se no espelho frequentemente, mas o rosto de Moisés brilhava sem que ele tivesse consciência disso. Aquele que manifesta os efeitos da operação de Deus pode ser chamado de espiritual. Mas a pessoa que tenta manufaturar algo deve empregar muita força; logo se sente cansada por ser cristã, embora o cristão nunca deva exercer sua própria força em caso algum. Muitas vezes julgamos que, enquanto algo parecer bom, provavelmente estará certo, mas Deus olha para a fonte: se procede dele ou é imitação no poder da carne.

O mesmo aplica-se em outra situação. Digamos que alguém tenta ser paciente. Entretanto, quanto mais tenta ser paciente, tanto mais a pessoa com o espírito de discernimento sente pena dele. Mas outra pessoa pode ser paciente sem ter consciência desse fato. Nesse caso, inclinamos a cabeça em agradecimento, dizendo que Deus verdadeiramente operou nessa vida. Percebemos que o segundo caso é de Deus e que o primeiro é de si mesmo. A diferença está não na aparência externa, mas na fonte.

Oh, que possamos perceber que, embora alguma coisa da vida natural possa parecer bastante espontânea, não significa que ela seja do espírito. Por exemplo, alguém pode nascer com uma natureza amável. Entretanto, algum dia perceberá a diferença entre sua gentileza natural e a amabilidade dada por Cristo.

Outro indivíduo pode ter nascido com a capacidade natural de amar aos outros, entretanto ele também algum dia perceberá a diferença entre seu amor e o amor que procede do Senhor.

O mesmo pode ser verdade do que nasce com a humildade natural de caráter, mas esse também, algum dia, discernirá a diferença entre a humildade dada por Deus e sua humildade natural.

Esse algo com que a pessoa nasce tem a tendência de substituir com mais facilidade o que é espiritual do que o que pode ser simulado pelo homem. Com quanta frequência as pessoas tomam o que é dom natural como substituto para o que o Senhor procura operar nelas. Mas, na realidade, o que procede da alma não tem ligação alguma com Deus, pois somente o que procede do espírito relaciona-se com ele.

O homem mais manso de todos, algum dia, descobrirá que a tentação é mais forte que sua mansidão natural. Algum dia, sua mansidão se esgotará, sua paciência chegará ao fim: há um limite para o que ele pode suportar, há um grau para sua mansidão.

Ao passo que a força natural do homem é limitada, a força que nos é dada pelo Senhor é algo completamente diverso. O que o Senhor pode fazer, eu não posso; pois não sou eu quem o faz, mas é a presença do Senhor em mim que me faz realizar tal coisa espontaneamente. E depois maravilho-me de tal coisa ter acontecido. Somente posso inclinar a cabeça e dizer: "Não tenho paciência; entretanto, ó Senhor, tu operas isso em mim". E, sem dúvida alguma, o que é realizado é verdadeiramente espiritual.

Quinto

Devemos reconhecer, entretanto, que não nos é fácil diferenciar o espiritual do que procede da alma meramente por sua aparência. É vão perguntar a nós mesmos diariamente se isto é espiritual ou se aquilo procede da alma. Tal indagação não tem valor espiritual algum. Podemos perguntar, mas não receberemos a resposta. Podemos analisar, mas não conseguiremos nenhum resultado. Se não perguntarmos, certamente jamais conheceremos; entretanto, ainda que perguntemos, não o saberemos.

Nas coisas espirituais, a autoanálise não somente falhará em mostrar-nos a realidade, mas também criará paralisia espiritual. A visão e a compreensão verdadeiras somente vêm da iluminação de Deus. Quando a luz brilha, vemos naturalmente. Portanto, não precisamos fazer perguntas a nós mesmos; tudo que precisamos fazer é pedir que Deus faça sua palavra brilhar em nós, pois a Palavra de Deus é viva e eficaz; e mais cortante do que qualquer espada de dois gumes, e penetra até ao ponto de dividir a alma e espírito, juntas e medulas. No momento em que a Palavra de Deus entra, imediatamente podemos separar o que é da alma e o que é do espírito. Dentro de você, existe um julgamento mais cortante do que qualquer juízo humano. Quando agimos, nosso sentido interior nos diz que tal ação não é correta ou não é profunda o suficiente, que somos nós mesmos que estamos fazendo as coisas e tentando influenciar pessoas. Ao ver interiormente, vemos de verdade. Que Deus possa ter misericórdia de nós concedendo-nos a luz interior com a qual possamos distinguir interiormente.

O dividir a alma e espírito é o fundamento do poder de discernir do cristão. Entretanto, o possuir ou não esse poder de discernir depende da iluminação interior, e não da instrução externa. O que devemos esperar perante Deus é que a entrada de sua Palavra traga luz para que ele possa mostrar-nos o que em nossa vida e obra é da alma e o que é espiritual.

6

CONHECENDO O EGO

> Recordar-te-ás de todo o caminho pelo qual o SENHOR, teu Deus, te guiou no deserto estes quarenta anos, para te humilhar, para te provar, para saber o que estava no teu coração, se guardarias ou não os seus mandamentos (Deuteronômio 8.2).

Para compreender o motivo desse versículo, devemos recordar do que Deus prometeu aos filhos de Israel no monte Sinai. Ao aparecer no monte Sinai, Deus disse: "Agora, pois, se diligentemente ouvirdes a minha voz e guardardes a minha aliança, então, sereis a minha propriedade peculiar dentre todos os povos [...]" (Êxodo 19.5). Ao ouvir os filhos de Israel essa palavra, responderam em uníssono e sem nenhuma hesitação: "[...] Tudo o que o SENHOR falou faremos [...]" (Êxodo 19.8). Pensavam que, uma vez que Deus os tinha libertado de maneira tão maravilhosa e os havia conduzido, suprido suas necessidades e lhes dado proteção, que deveras lhe obedeceriam em tudo o que ele pedisse deles.

Entretanto, o que a pessoa diz e promete nem sempre é o que suas mãos e pés hão de fazer. Deus o provará em questões práticas a fim de determinar se você realmente o adora e segue sua vontade. Embora você possa pensar e até mesmo sentir-se perfeitamente disposto a ouvir a Palavra de Deus, a carne tornou-se tão corrupta que o que você pode estar pensando e sentindo não seja digno de confiança. É por isso que Deus deve prová-lo quanto à obediência aos seus mandamentos. É por isso que Moisés diz aos israelitas: "para te provar, para saber o que estava no teu coração, se guardarias ou não os seus mandamentos". Era como se dissesse que, por ser a promessa deles inadequada, deveriam ser humilhados e provados no deserto por quarenta anos. Entretanto, tal "humilhação" e "provação" não tinham o propósito de trazer-lhes queda espiritual, mas a manifestação de seu verdadeiro estado.

Sem a experiência da humilhação, sem a prova do deserto e sem a derrota e rebelião subsequentes, quem poderia saber quão inteiramente corrupto era o coração desses filhos de Israel? A julgar por sua promessa entusiasta ao pé do monte Sinai, pensaríamos serem eles um povo muito obediente. Mas o povo que tão prontamente fez promessas no monte Sinai foi o mesmo que mais tarde no deserto adorou o bezerro de ouro, murmurou contra Deus e contra Moisés, desejou voltar para o Egito e finalmente se recusou a entrar em Canaã. Porém, depois de tantos fracassos, reconheceram ser corruptos, que sua carne nada tinha absolutamente de que se orgulhar, e que sua autoimportância em pensar que eram melhores do que as outras raças era totalmente falsa, porque, na verdade, não eram de modo algum superiores a qualquer outra nação do mundo. Somente então reconheceram que Deus os tinha escolhido não por que fossem melhores do que os outros, mas por sua graça; pois Deus havia dito a Moisés:

> [...] Terei misericórdia de quem me aprouver ter misericórdia e compadecer-me-ei de quem me aprouver ter compaixão. Assim, pois, não depende de quem quer ou de quem corre, mas de usar Deus a sua misericórdia (Romanos 9.15,16).

Ora, assim como Deus guiou os filhos de Israel no período da Antiga Aliança, da mesma forma procura ele liderar o seu povo hoje. A lição que deseja ensinar aos filhos agora é a mesma que tentou ensinar aos israelitas no deserto. Essa lição é que conheçamos a nós mesmos. Deus deseja que seu povo saiba que é corrupto e que cheio de pecado, imundícia e fraquezas. Deseja levar os cristãos ao fim de si mesmos. Deseja convencê-los de que o ego deles é totalmente inútil e absolutamente sem nenhum valor para que possam lançar-se sobre Deus em seu desamparo e procurar conhecer sua vontade, depender de seu poder e realizar seu propósito.

Entretanto, poucos cristãos têm consciência disso. Poucos realmente sabem que estão cheios de corrupção e de imundícia e que são totalmente inúteis. Poucos acham que não têm nada. Os cristãos, na maioria, pensam ser dignos de confiança em muitos aspectos e mais fortes do que outros cristãos. Quem, pois, realmente conhece a si mesmo completamente?

Compreendamos que Deus não precisa de nossas derrotas e de nossos fracassos — somos nós quem precisamos; pois ele sabe muito bem quão corrupta é nossa carne e se permanecemos e vencemos ou se caímos e somos derrotados.

Deus já conhece nossa estrutura demasiadamente bem! Ele não espera que nossa carne alcance sua justiça, pois reconhece que, a não ser pecar, nada mais podemos fazer. Ao fazermos o bem, sabe ele que somos corruptos. E ao praticarmos o mal, de novo, sabe ele que somos corruptos. Ele não precisa esperar que caiamos a fim de compreender nossa corrupção. Somos nós que precisamos dessas derrotas e dessas quedas, pois sem elas não podemos conhecer a nós mesmos. Enquanto experimentamos um navegar suave, enquanto somos vitoriosos e cheios de alegria, podemos pensar que somos bastante bons e que possuímos algo que os outros não têm. Embora não nos gabemos abertamente a respeito de nada, entretanto, ao fazermos algum progresso na vida espiritual ou termos algum êxito na obra espiritual, não podemos deixar de conceber a ideia de que agora estamos verdadeiramente santos, poderosos e em excelente condição. Numa posição como essa, é fácil tornar-se descuidado e perder a atitude de dependência de Deus.

Assim, o Senhor permite que caiamos da glória ao pó. Permite que pequemos, caiamos e nos afastemos. Tudo isso fará que saibamos quão inteiramente corruptos além de qualquer ajuda natural somos nós. Aprendemos que não somos diferentes dos maiores e piores pecadores do mundo. O resultado é que não ousamos confiar em nós mesmos, glorificar a nós mesmos e gabar-nos de nós mesmos, mas, em todas as coisas, nos lançaremos sobre o Senhor com temor e tremor. Portanto, precisamos que a derrota e o fracasso nos humilhem, que nos façam conhecer a nós mesmos e a corrupção completa de nossa carne.

Lembramo-nos de que antes de ser salvos e nascer de novo, o Espírito Santo convenceu-nos de que éramos pecadores e que toda a nossa bondade passada era como "trapo da imundícia" (Isaías 64.6) que não podia cobrir nossa nudez nem salvar-nos dos nossos pecados. Também ficamos conscientes de que, ainda que tentássemos fazer o melhor a fim de praticar o bem daí por diante, nossa própria justiça jamais poderia satisfazer as exigências da Lei. Compreendemos que jamais poderíamos estabelecer nossa própria justiça fora de Cristo (Romanos 10.3).

Portanto, viemos a Deus em inutilidade total, aceitamos o Senhor Jesus como nossa justiça, e fomos salvos mediante sua redenção. Essa foi nossa experiência passada.

Contudo, quão esquecidos somos! Na época em que fomos salvos e nascemos de novo, sabíamos que não podíamos depender de nosso próprio bem, mas devíamos depender inteiramente da obra de Cristo. O Espírito Santo mostrou-nos nosso estado terrível de perdição, fazendo-nos ver que estávamos cheios de imundícia e corrupção e perceber a total incerteza de nossa própria justiça. Logo depois de sermos salvos, por estarmos cheios de alegria por causa da graça do perdão que tínhamos recebido, permanecemos humildes. Mas, depois de algum tempo, começamos a esquecer o primeiro princípio da salvação. Devido a um novo desejo da nova vida, uma vez mais tentamos preencher os requisitos externos com uma justiça nossa. De alguma forma, voltamos à ignorância de que quando Deus nos disse, ao sermos salvos, que nossa justiça era absolutamente inútil, ele queria dizer que era ela eternamente inútil. E assim como ele declarou, no momento de nossa salvação, que ele não se alegraria em nada que saísse de nós mesmos — a despeito de sua aparência exterior —, essa declaração era de valor eterno.

Jamais devemos esquecer-nos de que a maneira pela qual ganhamos a vida divina deve ser a mesma usada para alimentar essa mesma vida. O princípio que aprendemos na salvação deve permanecer para sempre. O ego é sempre inútil, é sempre julgado por Deus, e portanto deve ser continuamente entregue à morte. Quão triste é que a justiça que desprezamos no momento em que cremos no Senhor é recebida de volta não muito tempo depois. O que então reconhecemos como ego inútil volta, gradativamente, à atividade.

A intenção original de Deus para nós depois que fomos salvos é que, passo a passo, chegássemos a um conhecimento mais profundo de nossa corrupção e à rejeição maior de nossa justiça própria. A atitude que tomamos com respeito a nós mesmos na época da salvação é somente o primeiro passo da perfeita obra de Deus. Ele deseja ver essa obra aprofundar-se cada vez mais até que nós, os cristãos, sejamos completamente libertos do domínio do ego. Que pena que os cristãos arruínem a obra de Deus!

A primeira obra do Espírito Santo no cristão, após a salvação, é levá-lo a conhecer a si mesmo a fim de induzi-lo a obedecer à vontade de Deus e negar tudo o que procede de si mesmo. Deve aprender a confiar completamente em Deus. Mas quão difícil é essa lição! Conhecer-se a si mesmo é ser privado da glória; negar-se a si mesmo é fazer que soframos.

De modo que, na realidade, o cristão não está tão ávido de conhecer a si mesmo e logo não conhece a si mesmo muito bem; deveras, na ignorância julga-se digno de confiança. Ora, por causa da indisposição do cristão em ter esse autoconhecimento, o Espírito Santo não pode revelar a ele seu caráter verdadeiro aos olhos de Deus. Como resultado, o Senhor é forçado a usar alguns métodos dolorosos para fazer o cristão conhecer a si mesmo. E o modo mais frequentemente usado por Deus é permitir que o cristão caia.

Assim como os fracassos no deserto capacitaram os filhos de Israel a conhecer o coração deles, do mesmo modo fracassos similares farão que os crentes hoje tenham conhecimento de quão miseráveis são em si mesmos. Por causa de sua autoconfiança e por verem a si mesmos como talentosos, capazes e poderosos, têm falta da completa dependência de Deus. Por isso, Deus deixa que falhem em suas tentativas. Compreenderão quão indignos de confiança são ao perceber que suas obras não produzem frutos verdadeiros e duradouros.

Com quanta frequência os cristãos veem-se como naturalmente muito pacientes, amáveis, gentis e puros! Para contra-atacar essa autoilusão, Deus permitirá que muitas coisas aconteçam em sua vida a fim de tirar-lhes a impaciência, a amabilidade, a gentileza e a pureza para que saibam que nada de valor procede do ego natural. E como os cristãos pensam amar a Deus, gabando-se de sua consagração perfeita ao Senhor e de seu labor diligente por amor a ele! Deus permite que o mundo e as pessoas os engodem de tal modo que são tentados em secreto ou se desviam abertamente. Assim, ficam sabendo quão vulnerável é seu amor por Deus. Os cristãos também podem pensar ser totalmente dedicados ao Senhor, nada tendo para si mesmos. Em resposta, Deus faz que recebam elogios e louvores dos homens a fim de mostrar-lhes quão sutilmente lhe roubam a glória e procuram a exaltação dos homens. Às vezes também acontece de os cristãos fazerem um pequeno progresso na vida espiritual, e logo pensam ser vitoriosos e santificados. Mas, no instante em que esses cristãos dão lugar à autossatisfação, Deus permite que falhem e pequem exatamente como o fazem as outras pessoas — ou até mesmo pior do que elas. O resultado é ficarem sabendo que não são melhores do que ninguém.

Embora corra o risco de ser mal interpretado, gostaria de dizer isto: Deus preferiria que seus filhos pecassem a que fizessem o bem. Repetindo, por favor, não interprete mal minha palavra aqui. Não estou, com isso, aconselhando-o a pecar, pois o Senhor não tem prazer no pecado. Mas, uma vez que os cristãos são tão autoconfiantes, gabadores e cheios de autossatisfação — cheios de seus próprios pensamentos, sentimentos e ações —, Deus preferiria vê-los pecar a fazer o bem. De outra forma, jamais conhecerão a si mesmos nem serão jamais libertados da vida lamentável, às vezes ridícula, e detestável do ego.

Precisamos saber a que grau Deus deseja que avancemos. De onde ele nos salva e para onde nos salvará? É bem verdade que não iremos para o inferno, mas para o céu. Mas é só isso que Deus tem para nós? Não, ele deseja salvar-nos a ponto de sermos totalmente libertos de nós mesmos e entrarmos completamente em sua vida para que não vivamos mais pela vida da alma. Aos olhos dele, não há nada mais imundo do que o "ego" — originador de todos os pecados. O ego é o maior inimigo de Deus, pois ele sempre declara sua independência dele. Portanto, ele considera todo o ego extremamente imundo, totalmente inaceitável e absolutamente inútil.

Basicamente, o que é o ego? Tudo o que o homem possui e pode fazer sem buscar a Deus, sem esperar nem depender dele.

Embora o Senhor odeie tanto o "ego", a atitude dos cristãos para com ele é muito diferente. Têm prazer em depender do ego, acariciá-lo e gloriar-se nele. Ignoram o seu ego verdadeiro; e também não sabem quão impuro, corrupto e fraco é o ego aos olhos de Deus. Falta-lhes conhecimento do assunto. Em resumo, não conhecem a si mesmos. Numa situação como essa, se fizerem algum progresso, se experimentarem êxitos e vitórias crescentes, sua vida do ego será alimentada e crescerá, assim tornando-se mais difícil de ser negada. Cada vez que praticam uma boa ação, afastam-se um pouco mais da vida de Deus. Um pouco mais de poder próprio significa mais distância do Espírito Santo. Mais êxito resulta em mais glória para o ego, o que prolonga a vida ímpia do ego. É por esse motivo que eu disse anteriormente que Deus preferiria ver os cristãos pecarem a fazerem o bem: pois quanto mais pecam, tanto mais reconhecem quão indignos de confiança são; quanto mais fracos são, tanto mais verão a vaidade do ego; quanto mais caírem, tanto mais claramente perceberão sua insuficiência e desesperança. Deus preferiria ver os cristãos pecarem, a essa altura de seu caminhar, pois o pecar lhes possibilitará conhecer a si mesmos mais completamente e também a depender mais do Senhor.

Deus não tem outro propósito, a não ser levá-lo ao fim de si mesmo para que conheça a si mesmo. Essa é a explicação do motivo pelo qual às vezes você tem lutado e falhado. Oh, como você chorou, lutou, batalhou, orou, trabalhou e fez tudo a fim de vencer o pecado e chegar à santidade; entretanto, acabou em derrota. Embora às vezes você tenha experimentado um pouco de vitória, essa vitória foi somente temporária. Você fez o melhor que pôde para conservá-la, mas voou como um pássaro. Você chegou à conclusão de ser pior do que os outros e que, por isso, não podia ter a vitória. Tais experiências significam que Deus o levava a conhecer o seu próprio ego. Não é que você fosse tão corrupto que não pudesse ganhar a vitória; antes, era que você não era corrupto o suficiente a seus próprios olhos a fim de ganhar a vitória. É preciso que você reconheça que foi você mesmo quem chorou, quem lutou e prosseguiu, que foi você quem batalhou e labutou. O agente era você, e tudo fez para servir ao seu próprio ego.

Quanto você realmente depende de Deus? Você sabe que verdadeiramente não pode remir a si mesmo e, assim, está pronto a confiar em Deus? Afinal qual é o motivo de sua luta e labor? Não se esforça por si mesmo? Sim, você procura vencer o pecado e busca a santidade; mas para quê? Não é para dar a si mesmo mais alegria, mais glória e mais terreno para a vanglória? A menos que reconheça sua própria fraqueza e erro, continuará a fracassar e a cair, até reconhecer que é impotente e não merece honra alguma.

Deus deseja que você se una a ele e dependa dele em todas as coisas para que possa fazer a sua vontade e glorificar o seu nome. Mas, uma vez que você não conhece seu verdadeiro caráter como evidencia o fato de continuar a considerar-se bom e capaz, naturalmente não confiará em Deus e assim falhará em render-lhe glória. Será autoconfiante e procurará sua própria glória. Neste mesmo instante, você ainda não sabe quão fraco realmente é. Por isso, Deus permite que você seja derrotado repetidamente. E com cada derrota diz-lhe que você é fraco.

Entretanto, você insiste em não crer; recusa-se a desprezar a si mesmo; antes, continua a ser cheio de esperança. Sua conclusão é que a derrota foi devida à falta de esforço próprio. Se fizer mais esforço da próxima vez, diz você a si mesmo, então sem dúvida vencerei. Muitas têm sido as suas derrotas, e muitas têm sido as vezes que encontrou altos e baixos. Entretanto, permanece ignorante do fato de quão fraco você verdadeiramente é. Até o presente momento, não está pronto para aprender a lição que Deus tem para você. Ainda está planejando seu último esforço para ganhar a vitória final. Tendo sofrido tantas derrotas, por que não desiste totalmente de si mesmo e se lança inteiramente sobre Deus? Quando é que não esperará mais nada de si mesmo, entregando-se completamente nas mãos de Deus? Oh, quando isso finalmente acontecer, você dependerá dele sem planejar nem fazer nada de si mesmo! Mas, por ainda não ter aprendido sua lição, terá de incorrer em maiores e mais derrotas a fim de obter o autoconhecimento que o forçará a cessar sua própria obra para que Deus possa livrá-lo. Sabemos que nenhum salva-vidas se atreve a socorrer a pessoa que acaba de cair na água com a possibilidade de afogamento. Pois nesse instante a força da pessoa que caiu na água é grande — talvez mais forte do que de costume. Ao se aproximar o salva-vidas da pessoa que se afoga, esta pode tentar agarrar-se ao salva-vidas impedindo-lhe o movimento. O resultado é que ambos podem afundar e se afogar. Consequentemente, o salva-vidas esperto espera até que a pessoa que se afoga lute bastante na água e comece a desistir de lutar. Somente então o salva-vidas aproxima-se dessa pessoa e a leva para a segurança.

Da mesma maneira, Deus hoje permite que seus filhos lutem e batalhem até que percebam quão fútil é seu esforço. Meramente colocam-se numa posição mais perigosa. O Senhor espera até que sua força se esgote e cheguem à conclusão de estarem perecendo. Nesse momento, suas ideias são mais ou menos as seguintes: Se Deus não me livrar, não posso sustentar minha sorte nem por mais um minuto; se Deus não me salvar, certamente morrerei! Deus não estenderá a mão até que esse momento chegue. Sempre que o cristão para de confiar em si mesmo, Deus o salvará inteiramente. Pois o objetivo do Senhor não é outro senão mostrar ao cristão que ele é absolutamente inútil na vida e na obra divinas. À parte do depender de Deus, o cristão não possui vida nem obra.

Oh, quão enganosos podemos ser! Quão tenazmente interessados em nós mesmos! Quem pode dizer quantos cristãos hoje vivem por seu ego enganador? Muitos são os que tomam o "ego" como princípio orientador da vida. Quase tudo é para o eu e quase tudo procede do eu. Tais cristãos são muito mais perigosos do que as outras pessoas. Parece que em tudo não conseguem escapar do ego. Se aprendem uma coisa a mais, é para glorificar o ego. Isso não é verdade somente com respeito às coisas espirituais; é também verdade no que se refere às coisas materiais. Tudo se transforma em motivo para elevar o ego. Oh, quem pode compreender totalmente o erro da carne? Deus precisa quebrar e destruir tais cristãos. Não lhes dará um ambiente cômodo para que seu ego não seja alimentado. Ele deixará que eles passem por momentos difíceis para que não se gloriem em si mesmos. Permitirá que conheçam seu motivo interior verdadeiro deixando que sejam derrotados, para que na derrota possam examinar a si mesmos e compreender que na maior parte de seus dias vivem para si mesmos, e não para a glória de Deus. Por quarenta longos anos, levou Deus os filhos de Israel pelo deserto. Deixou que caíssem e pecassem muitas vezes com o seguinte propósito em mente: que conhecessem a si mesmos. Da mesma maneira, hoje o que Deus tem feito em sua vida é para que você conheça sua imagem verdadeira. Suas derrotas passadas já o deveriam ter convencido da absoluta vaidade de si mesmo; no entanto, até o presente momento você insiste em apegar-se ao seu precioso ego! Por causa disso, Deus é forçado a conservá-lo no deserto um pouco mais para que você experimente mais derrotas no deserto a fim de compreender, afinal, quão totalmente corrupto, vão e fraco você é perante Deus. E, se não aprender sua lição hoje, terá de continuar em derrota.

Qual foi o propósito de Deus em dar a Lei aos homens? Foi dada não para que os homens a guardassem, mas a fim de que os homens a violassem; pois a Lei foi estabelecida para transgressões. Não fique espantado com essa afirmativa, pois com referência à Lei esse é o propósito de Deus, como as Escrituras amplamente demonstram. Deus sabia que os homens são corruptos além da medida e determinou há muito tempo que deveríamos ser salvos gratuitamente por sua graça. Ele sabe que somos tão corruptos que nada podemos levar a ele que seja aceitável. Mas também sabe que não percebemos tal fato. Portanto, ele emprega meios de ensinar-nos a fim de que nós também possamos conhecer de nós mesmos o que ele sempre soube. Só depois de reconhecermos nossa corrupção, aceitaremos sua graça. Ora, um meio empregado por Deus é a Lei, à qual nos manda obedecer. Se formos bons, certamente a cumpriremos; mas, se formos corruptos, com toda a certeza a quebraremos. Pode-se dizer, portanto, que o próprio quebrar da Lei revela nossa corrupção, que nossa incapacidade de fazer o que a Lei exige prova que nossa carne é fraca (veja Romanos 8.3). Quando as pessoas perceberem que são tão fracas a ponto de não poderem satisfazer as exigências da Lei divina, finalmente desesperarão de si mesmas, desistirão de qualquer ideia de ser salvas pelas obras, e confiarão inteiramente na graça de Deus. Por isso, a Bíblia declara: "Qual, pois, a razão de ser da lei? Foi adicionada por causa das transgressões" — isto é, foi acrescentada a fim de revelar a corrupção dos homens — "até que viesse o descendente a quem se fez a promessa [...]" (Gálatas 3.19) — esta última cláusula refere-se ao Senhor Jesus e à sua salvação.

Nós, os cristãos, sabemos que não podemos ser salvos pelas obras, somente pela graça. Mas sabemos o motivo? É por sermos tão corruptos, tão fracos e tão imundos que não podemos cumprir a justiça de Deus nem guardar sua Lei. Consequentemente não temos boa obra alguma, mas devemos depender tão somente da graça. Deus, ao salvar-nos pela graça, diz-nos que somos tão totalmente corruptos que não tem outro recurso senão dar sua graça. E quando, finalmente, adentramos o portão da graça, sabíamos muito bem quão impotentes éramos.

Por que, então, hoje você começa a pensar que é tão bom? Por que não aprendeu a lição que Deus tem tentado ensinar por meio da Lei aos seus seguidores por esses milhares de anos? Você ainda não se conhece si mesmo!

Em nossa pregação e testemunho públicos, temos dado atenção especial ao princípio da cruz. Mas tenha em mente que a cruz não é uma espécie de poder mágico que o livrará de todos os seus pecados se tão somente a invocar. A não ser que você, de livre vontade, aceite o princípio da cruz, não o verá em operação em sua vida. A cruz é um princípio, e o princípio da cruz é negar a si mesmo e depender de Deus. Se você ignorar a total corrupção do seu ego verdadeiro, não receberá a ajuda da cruz para livrá-lo do pecado no momento em que esperar seu poder numa emergência.

Alguém poderá dizer: "Estou surpreso por ter cometido tal pecado". Essa afirmativa revela que esse indivíduo não conhece a si mesmo. Ele não tem conhecimento de quão corrupto é, nem de quão capaz é de cometer qualquer pecado. Que fique compreendido que, à parte da nova vida que Deus nos deu quando de nosso novo nascimento, nós mesmos não somos melhores do que ninguém mais. Reconheçamos que cada homem tem a possibilidade de ser um ladrão, e cada mulher, uma prostituta. O motivo pelo qual alguns não o são é atribuído ao ambiente que não lhes é propício a tal atividade. Não hesito em confessar que a semente de todo pecado está dentro de mim e que eu poderia cometer qualquer pecado se a vida de Deus não dominasse.

Quantas lágrimas se derramam hoje não por causa do pecado, mas por causa do "ego", incapaz de atingir a bondade que o cristão espera. Muita procura, muitas orações e muita fé parecem ser dirigidas a Deus; entretanto, em todos esses esforços é mais do que provável existir a antecipação da bondade própria. E por isso Deus permite que você seja derrotado repetidas vezes para que possa finalmente ver a corrupção total da carne. Uma vez que sua fraqueza é provada por tais derrotas, Deus espera que você possa conhecer seu ego verdadeiro, desistir dele e voltar-se para Deus e confiar nele.

Cada derrota deveria dar-lhe um pouco mais de conhecimento de si mesmo. Cada fracasso deveria mostrar-lhe um pouco mais de sua fraqueza. Cada pecado deveria fazer que você esperasse menos de si mesmo e ficasse mais disposto a desprezar seu ego. Entretanto, muitas vezes, a queda somente traz mais luta e mais batalha. O ego aumenta e se fortalece em vez de diminuir e se enfraquecer. Quão fútil é que a pessoa confesse com os lábios e até mesmo clame pedindo ajuda se falhar em aceitar o princípio da cruz em julgar a si mesmo!

As Escrituras já não nos preveniram de tal erro? Romanos 6 fala de nossa comorte com Cristo; Romanos 7 fala da luta entre a vida nova e a velha; e Romanos 8 fala da vitória no Espírito Santo. Com a comorte, devemos ser vitoriosos. Entretanto, por que é que depois de termos conhecido e aceitado a verdade de Romanos 6, ainda não podemos ter a vitória? É porque nos falta a derrota de Romanos 7. Tanto o versículo 6 como o 11 do capítulo 6 de Romanos dizem-nos que a morte de nosso "ego" é um fato. Por que, então, muitos — que creem nessa verdade — falham em experimentar a vitória de Romanos 8? É por não terem fracassado o suficiente. Deus nos fará passar pela derrota de Romanos 7 muitas vezes até que finalmente sejamos forçados a confessar: "[...] eu, todavia, sou carnal, vendido à escravidão do pecado [...] Porque eu sei que em mim, isto é, na minha carne, não habita bem nenhum [...]" (Romanos 7.14,18). E tal experiência é conhecimento verdadeiro do ego.

Deus permitirá que o cristão caia até que de livre e espontânea vontade reconheça: "sou [...] vendido à escravidão do pecado [...] na minha carne, não habita bem nenhum [...]". Até que isso aconteça, ele não saberá que, a não ser que um poder de fora o socorra, está sem esperança e é inútil. Mas então ele clamará: "Desventurado homem que sou! Quem me livrará do corpo desta morte?" (7.24). Ao perceber de verdade quão corrupto é, saberá e reconhecerá que, a menos que Cristo o salve, não pode vencer o pecado.

No início do capítulo 8 de Romanos, é mencionada a comorte do capítulo 6 como o meio da vitória total. Oh, estamos familiarizados com a salvação mediante a comorte e ardentemente esperamos a glória da vitória. Entretanto, o problema de hoje é conhecer o ego. Nossas derrotas passadas não são poucas, porém não estamos dispostos a conhecer o ego em tais derrotas; antes, tentamos fazer nosso melhor a fim de melhorar e ocultar nosso ego. Se tão somente estivéssemos dispostos a examinar essas derrotas passadas à luz da santidade de Deus, certamente saberíamos que tipo de pessoa somos.

Se estamos prontos a dar um passo à frente negando o ego, Deus nos levará para o descanso de Canaã.

Naturalmente que temos algum conhecimento de nós mesmos, e em nossas experiências passadas Deus nos levou a conhecer algo de nossa corrupção. Mas, com toda a honestidade, receio que o conhecimento que muitos têm do ego não é suficientemente profundo. Não tenhamos medo de conhecer a nós mesmos claramente! Embora o ego seja muito feio e infunda temor, embora seja abominável e odioso, ainda assim devemos conhecê-lo. Nunca devemos parar de investigar e concluir que já conhecemos o ego por completo: estamos longe, muito longe do conhecimento do nosso ego!

Para o cristão, conhecer a si mesmo é uma lição que dura a vida toda. A fim de chegar a esse propósito divino, o cristão teimoso deve passar por muitas derrotas que outros não têm nem precisam. Pode até concluir que o Senhor é especialmente duro com ele, não compreendendo que isso é devido ao seu apego mais forte ao seu "ego". Pois não muito tempo depois de ganhar uma vitória, começa a ser autoimportante uma vez mais, para de confiar no Senhor com temor e tremor, e começa a glorificar a si mesmo de novo. De modo que Deus o envia para o fracasso uma vez mais. Quantos cristãos verdadeiramente têm vitórias até o presente momento? Mas eles, de alguma forma, nunca parecem poder aprender a lição que Deus lhes está ensinando a respeito do verdadeiro autoconhecimento.

Percebamos que fora do autoconhecimento, do autoexame e da autonegação, realmente não há um caminho para a vida espiritual. Se constantemente julgássemos a nós mesmos por causa de nosso autoconhecimento, evitaríamos muitas derrotas e alcançaríamos o propósito de Deus.

Todos os que hoje em dia (1) seguem sua própria vontade, (2) confiam em sua própria força e (3) glorificam seu próprio ego são pessoas que não conhecem a si mesmas. Mas, uma vez que a pessoa é totalmente quebrantada por Deus, verá a si mesma como abominável e odiosa. Não ousará iniciar nada nem ousará fazer nada com sua própria força. Antes, esperará pela vontade de Deus em todas as coisas e em tudo dependerá do poder de Deus. Caso consiga algumas realizações, ela não ousará ser convencida porque sabe ser indigna de qualquer glória. Possa o Senhor levar todos nós a tal experiência e assim trazer glória a ele.

7

COMO ESTÁ SEU CORAÇÃO?

> As palavras dos meus lábios e o meditar do meu coração sejam agradáveis na tua presença, SENHOR, rocha minha e redentor meu! (Salmos 19.14).

> E, tendo tirado a este, levantou-lhes o rei Davi, do qual também, dando testemunho, disse: Achei Davi, filho de Jessé, homem segundo o meu coração, que fará toda a minha vontade. Da descendência deste, conforme a promessa, trouxe Deus a Israel o Salvador, que é Jesus (Atos 13.22,23).

Primeiro

Temos aqui duas passagens relacionadas com Davi. Salmos 19.14 é sua oração, e Atos 13.22,23 fala dele como homem. Em sua oração, Davi menciona as palavras de sua boca e o meditar de seu coração. Procura fazer que seus pensamentos íntimos e suas palavras externas sejam aceitáveis a Deus; pois as palavras da boca são a expressão do pensamento. Disso se depreende que o principal problema é o coração. A questão central não é que as palavras sejam corretas ou não, nem é também a correção da atitude externa. O problema verdadeiro jaz na intenção do coração. O pensamento e a intenção do coração é a questão que não deve ser negligenciada. Por este motivo, Davi ora para que o meditar de seu coração seja aceitável a Deus, assim como as palavras de sua boca. Sua oração é que Deus aceite seu desejo interior. Daí Paulo testificar de ser Davi um homem segundo o coração de Deus (Atos 13).

Que tipo de pessoa é o homem segundo o coração de Deus? É aquele que permite que Deus lhe toque o coração. Se a pessoa não permitir que Deus lhe toque o coração, mui dificilmente será um homem segundo o coração de Deus. Muitos cristãos têm a tendência de perguntar: Não estou agindo corretamente ao fazer isto ou aquilo? Não é direito falar isto? Minha expressão não está correta? Entretanto, a questão essencial não está no seu falar ou expressar a coisa certa ou não, mas na raiz do seu falar, expressar ou agir. Embora a pessoa externamente seja correta, ainda pode ter problemas com o coração. O interesse de Deus e seu toque estão relacionados com o coração do homem. É por esse motivo que ele permite que muitas coisas aconteçam na vida de seus filhos. Ele usa essas coisas para tocar o seu coração e revelar o que aí se encontra.

Segundo

Observamos na Bíblia que Davi viaja na vida pelo caminho da cruz, e a vida que ele vive é a vida da cruz. O Novo Testamento inicia com duas pessoas: uma é Abraão, e a outra, Davi (veja Mateus 1.1,2,6). Isso porque dois homens trouxeram o Senhor Jesus. Trouxeram Deus dos céus à terra. Deus precisa encontrar pessoas como essas antes de achar um meio de vir dos céus à terra.

Sabemos que Abraão é o pai da fé. Por toda a vida, trilhou no caminho da fé. Somente esse caminho pode trazer Deus à terra. Por outro lado, Davi andou na vida pelo caminho da cruz. Sua vida é uma vida de cruz. Ele não somente traz Deus aos homens, mas também faz Deus dirigir os homens.

Se você vive pela fé, tem a maneira de trazer Deus ao meio dos homens; se você vive na cruz, fará Deus reinar sobre os homens. Se os filhos de Deus estivessem mais dispostos a seguir o caminho da cruz e a levar a cruz, Deus, sem dúvida, teria mais domínio sobre os homens. A menos que você viva a vida de cruz, Deus não poderá reinar sobre você. A feição especial da vida de Davi pode ser vista em seu trilhar na estrada da cruz.

Terceiro

O que Davi encontrou na vida foi um pouco estranho, mas todos esses acontecimentos revelaram o estado de seu coração. Primeiro, Davi era desprezado por sua própria família. Quando Deus enviou Samuel para ungir um dos filhos de Jessé rei sobre Israel, Jessé mandou chamar os seus filhos, mas negligenciou em chamar Davi. Entretanto o coração desse jovem era correto, pois não perdeu o relacionamento adequado por causa de tal negligência. Deus disse a Samuel: "[...] O homem vê o exterior, porém o SENHOR, o coração" (1Samuel 16.7). O coração de Davi era aceitável a Deus, de modo que foi escolhido e usado por ele.

Depois que Davi matou Golias, Deus o colocou numa situação peculiar, pois as mulheres de Israel cantaram: "[...] Saul feriu os seus milhares, porém Davi, os seus dez milhares" (18.7). Com respeito a essas duas cláusulas, veremos que uma tinha o propósito de testar Davi e a outra era para provar Saul. Provérbios 27.21 diz que "o homem é provado pelos louvores que recebe". Quando as pessoas o elogiam demais, observe atentamente a fim de ver se você fica orgulhoso; ou quando os elogios são menos do que você merece, fica magoado? Que efeito teve as declarações das mulheres israelitas no coração de Davi e de Saul? Davi não se deixou impressionar pela aclamação "Davi [feriu] os seus dez milhares"; Saul, entretanto, indignou-se muito com a declaração de ter matado somente os seus milhares. É óbvio que o coração ciumento de Saul muito sofreu (1Samuel 18.6-19).

Suponhamos que você e outro irmão façam alguma coisa juntos. Qual será sua reação se alguém lhe disser que o outro irmão fez um excelente trabalho e não mencionar o seu nome? Você, no mínimo, se sentirá magoado e um tanto triste. Esse incômodo e tristeza provam que você não está totalmente limpo. Você não confessa a si mesmo repetidamente que fez tal coisa para Deus, e não para o homem? No entanto, o louvor que a outra pessoa recebeu sacode-lhe o coração e expõe a sujeira interior. Compreendamos que muitas das situações em que nos encontramos — especialmente as atitudes dos que estão ao nosso redor — provam o nosso coração. Depois de matar Golias, Davi tornou-se o herói de Israel, e então foi perseguido por Saul. Durante esse longo período de provação, ele se submeteu à mão de Deus e não ousou fazer nada a fim de contornar a situação Assim evidenciam-se a pureza e a retidão do coração de Davi.

Depois de se tornar rei, Davi enfrentou sérias tribulações por causa de seu grande fracasso. Seu próprio filho procurou tirar-lhe a vida, e Simei, amaldiçoando-o atirou-lhe pedras. Qual foi a reação de Davi para com Simei? Novamente, seu coração era claro como cristal. Disse Davi: "pois, se o SENHOR lhe disse: Amaldiçoa a Davi" (veja 2Samuel 16.5-12). Ele esperava na misericórdia de Deus. Oh, que não pensemos que tudo o que acontece em nossa vida seja para nossa perda. Por um lado, é bem verdade que, se nosso coração não estiver certo, sofreremos perda; mas, por outro lado, se nosso coração estiver certo, seremos grandemente beneficiados, pois todas essas circunstâncias têm o objetivo de revelar o que nos vai no coração. A verdadeira condição do coração de Davi é revelada mediante as provações de uma vida vivida na cruz.

Quarto

Os filhos de Deus, pois, devem não somente ter cuidado com seu falar e com sua atitude; mais ainda, devem ter cuidado com o pensamento e intenção de seu coração. Muitas vezes nossa expressão externa não necessariamente revela o estado interior. Na maioria das vezes é nosso sentimento interior que trai o verdadeiro estado de nosso coração. Quão fútil é simplesmente guardar os nossos lábios. Se nosso coração não estiver certo, mais cedo ou mais tarde, será expresso abertamente — e, muitas vezes, quando menos esperamos. Um exemplo disso seriam as palavras ociosas que proferimos a respeito dos outros. Quanto mais nosso coração se estender para Deus e quanto mais puro ele for, tanto menos serão as palavras ociosas proferidas por nós. Todas as vezes que fuxicamos ou murmuramos contra alguém, traímos alguma irregularidade em nosso coração. Se o coração da pessoa fosse devotado totalmente a Deus, ela não diria palavras ociosas contra os outros.

Um irmão disse certa vez: "Se um irmãozinho peca contra mim, a esse posso perdoar; mas, se um irmão grande peca contra mim, a esse não posso perdoar". Outro irmão que o ouviu dizer isso olhou para o peito desse irmão e sacudiu a cabeça várias vezes. O que ele queria dizer com esse gesto era: "Seu coração! Seu coração! Ao perdoar um irmãozinho, mas, não perdoar um irmão grande, você expõe o que lhe vai no coração. O fato de um irmãozinho pecar contra você e ser perdoado não mostra de modo nenhum o verdadeiro estado do seu coração; mas, ao recusar-se a perdoar um irmão grande que peca contra você, isso realmente revela o que lhe vai no coração". Por meio desse incidente, o coração não perdoado daquele irmão foi revelado. Que possamos ver que algo pequeno pode não ser queimado por um único palito de fósforo, mas será totalmente consumido numa fornalha de fogo. Isso mostra que tal coisa pode ser queimada. Usando a ilustração, um irmãozinho não podia testar o coração daquele irmão, mas um irmão grande foi usado para expor o seu verdadeiro estado interior.

Se nosso coração estiver correto, não seremos sacudidos por ninguém, pois olhamos somente para Deus. Davi provou ser um homem segundo o coração de Deus porque, onde quer que o Senhor o colocava, seu coração se conservava em relacionamento direto com Deus, e não com os homens. Davi aceitava tudo das mãos de Deus e tentava ver as coisas da perspectiva dele. Permita-me repetir: Deus usa as circunstâncias a fim de revelar nosso coração. Que possamos, portanto, orar: "Ó Senhor, que as palavras dos meus lábios e o meditar do meu coração sejam agradáveis na tua presença".

Se nosso coração estiver correto, não seremos sacudidos por turbulência, pois olhamos somente para Deus. Deus procura um homem segundo o coração de Deus, porque pode então dar o Senhor o [illegible] e conservá-lo em relação [illegible] com Deus e não com os homens. Deus [illegible] nas mãos de Deus [illegible] as coisas [illegible] dele. Permita-me repetir: Deus [illegible] circunstâncias [illegible] correto. Que possamos, portanto, orar: "Ó Senhor, que as palavras dos meus lábios e o meditar do meu coração sejam agradáveis na tua presença."

8

O PRIMEIRO PECADO DO HOMEM

Do solo fez o Senhor Deus brotar toda sorte de árvores agradáveis à vista e boas para alimento; e também a árvore da vida no meio do jardim e a árvore do conhecimento do bem e do mal (Gênesis 2.9).

E o Senhor Deus lhe deu esta ordem: De toda árvore do jardim comerás livremente, mas da árvore do conhecimento do bem e do mal não comerás; porque, no dia em que dela comeres, certamente morrerás (Gênesis 2.16,17).

Então a serpente disse à mulher: É certo que não morrereis. Porque Deus sabe que no dia em que dele comerdes se vos abrirão os olhos e, como Deus, sereis conhecedores do bem e do mal. Vendo a mulher que a árvore era boa para se comer, agradável aos olhos, e árvore desejável para dar entendimento, tomou-lhe do fruto e comeu, e deu também ao marido, e ele comeu. Abriram-se, então, os olhos de ambos; e, percebendo

> que estavam nus, coseram folhas de figueira e fizeram cintas para si. Quando ouviram a voz do SENHOR Deus, que andava no jardim pela viração do dia, esconderam-se da presença do SENHOR Deus, o homem e sua mulher, por entre as árvores do jardim (Gênesis 3.4-8).

Neste estudo, gostaríamos de ver como foi que o primeiro homem pecou, e recebê-lo como admoestação para nós hoje. Pois, como foi o primeiro pecado, assim serão todos os pecados depois dele. O pecado que Adão cometeu é o mesmo que todos nós cometemos. De modo que, conhecendo o primeiro pecado, podemos compreender todos os pecados do mundo. Pois, segundo a perspectiva bíblica, o pecado possui um único princípio.

Em todo pecado, podemos ver o "ego" em operação. Embora hoje em dia as pessoas classifiquem os pecados em um sem-número de categorias, entretanto, falando por indução, há somente um pecado básico: todos os pensamentos e ações que constituem pecado estão relacionados com o "ego". Em outras palavras, embora o número de pecados no mundo seja deveras astronômico, o princípio subjacente a cada pecado é somente um — tudo o que satisfaz o ego. Todos os pecados são cometidos por causa do ego. Se faltar o ego, não haverá pecado. Examinemos essa questão mais atentamente.

O que é o orgulho? Não é uma exaltação do ego? O que é o ciúme? Não é o temor de ser suplantado? O que é a emulação? Nada mais é que a luta para ser melhor do que os outros. O que é a raiva? É a reação contra a perda sofrida pelo ego. O que é o adultério? É seguir as paixões e lascívias do ego. Não é a covardia o cuidado que se dá à fraqueza do ego? Ora, é impossível mencionar todos os pecados, mas, se examinássemos todos, um por um, descobriríamos que o princípio de todos eles é o mesmo: algo que de alguma maneira se relaciona com o ego. Onde quer que se encontre pecado, aí também estará o ego. E onde quer que o ego for ativo, ali também haverá pecado aos olhos de Deus.

Por outro lado, ao examinarmos o fruto do Espírito Santo — que representa o testemunho cristão —, facilmente veremos o oposto: nada mais é do que atos desprendidos do ego. O que é o amor? Amor é apreciar os outros sem pensar no ego. Que é a alegria? É olhar para Deus, a despeito do ego. Paciência é desprezar nossa própria dificuldade.

Paz é deixar a perda de lado. Gentileza é não prestar atenção a nossos próprios direitos. Humildade é esquecer-se dos méritos próprios. Temperança é o ser sob controle. Fidelidade é domínio próprio. Ao examinarmos todas as virtudes cristãs, discerniremos que, a não ser pela libertação do ego ou do seu esquecimento, o cristão não possui outra virtude. O fruto do Espírito Santo é determinado por um único princípio: a perda total do ego.

Mencionei somente algumas virtudes e alguns pecados; mas acho que são suficientes para provar que pecado é seguir o ego, ao passo que virtude é esquecer-se do ego. Se compreendermos esses dois princípios, poderemos diariamente observar todos os vários pecados e julgar se cada um deles relaciona-se com o ego ou não. Mas permita-me dizer-lhe claramente que à parte do "desprendimento" humano não há virtude, e à parte do seu "egoísmo" não há pecado. O ego do homem é a raiz de todos os males.

Nas passagens que lemos no início deste capítulo, vimos que existiam duas árvores no jardim do Éden e que Adão, ao comer o fruto da árvore do conhecimento do bem e do mal, trouxe o pecado ao mundo. Examinemos mais atentamente as duas árvores mencionadas. Usarei duas palavras para representar o significado de ambas as árvores. O significado da árvore do conhecimento do bem e do mal é independência, e o significado da árvore da vida é confiança.

Examinaremos primeiro a árvore do conhecimento do bem e do mal. De saída, devemos compreender que o comer do fruto dessa árvore em si não é grande pecado. Aqui Adão não cometeu adultério, assassínio, nem muitos outros pecados imundos. Simplesmente comeu do fruto da árvore do conhecimento do bem e do mal. Ora, embora o ato praticado por Adão não fosse algum pecado horrível, não obstante, o comer do fruto dessa árvore fez que não somente ele caísse, mas também sua descendência, enchendo o mundo de pecados. Embora o pecado cometido por ele não fosse horrível, seu ato deu ensejo a toda sorte de pecados. Segundo nossa lógica, se o primeiro pecado do homem realmente for o "gerador" de todo o pecado do mundo, esse primeiro pecado deve ser o mais horrível de todos. Entretanto, o que vemos aqui é meramente um homem comendo fruto demais. Em certo sentido, portanto, é de aparência inócua.

Por que isso é assim? Deus vê o pecado de Adão como espécime típico de incontáveis pecados a serem cometidos por todos os homens depois dele. Deus deseja que compreendamos que, não importa a natureza do pecado de Adão, essa também será a natureza dos múltiplos e variados pecados que o mundo cometerá depois de Adão. Externamente o pecado pode ser polido ou rude, mas sua natureza e princípio permanecem sempre os mesmos. O pecado de Adão não é mais que seguir sua própria vontade. Uma vez que Deus lhe havia proibido de comer desse fruto particular, ele deveria completamente ter se desfeito de sua própria inclinação e obedecido a Deus. Mas ele desobedeceu a Deus e comeu o fruto, segundo sua própria vontade, e assim pecou. Daí se depreende que o pecado de Adão nada mais foi que agir fora de Deus e segundo sua própria vontade. Embora os pecados cometidos pelos descendentes de Adão difiram grandemente do dele em aparência (pois não há outra pessoa que possa cometer o mesmo pecado que Adão cometeu), em princípio também agem segundo sua própria vontade, de modo que seus pecados têm todos a mesma natureza.

É pecado conhecer o bem o mal? Não é virtude procurar conhecer o bem e o mal? Deus conhece o bem e o mal (veja Gênesis 3.5,22). É pecado ser igual a Deus? Não é algo elogiável procurar ser igual a Deus? Por que, pois, o ato de Adão torna-se a própria raiz de todo o pecado e miséria humanos? Por que motivo? Embora tal ação, aparentemente, seja boa, Adão agiu sem o mandamento ou promessa de Deus. E ao tentar conseguir esse conhecimento fora de Deus, segundo seu próprio ego, Adão pecou. Agora percebemos o significado da palavra "independência"? Todas as ações independentes são pecado. Adão não tinha confiado em Deus; não tinha tomado a decisão de obedecer a Deus; havia agido independentemente de Deus; e a fim de conseguir esse conhecimento havia proclamado de independência de Deus. E é por isso que o Senhor declarou ser isso pecado.

Portanto, compreenda isso, não é preciso cometer muitos e terríveis pecados a fim de se considerar pecador. Para Deus, todas as ações realizadas fora dele são pecado. "Ser igual a Deus", por exemplo, é excelente desejo; mas tentar fazê-lo sem ouvir o mandamento de Deus e sem esperar pelo tempo de Deus é pecaminoso aos olhos dele. Quão frequentemente julgamos as coisas más como pecado e as boas como justiça. Deus, entretanto, vê as coisas de maneira diferente. Em vez de diferenciar o bem e o mal pela aparência, ele olha para o modo com que tal ação é feita. Não importa quão excelente tal coisa possa parecer ao mundo, tudo o que for feito pelo cristão sem procurar a vontade de Deus, sem esperar por seu tempo, ou sem depender de seu poder (mas feito segundo nossa própria vontade, com pressa, ou por nossa própria habilidade), é pecado aos olhos de Deus.

O Senhor não olha para o bem ou para o mal da coisa em si. Antes, olha para sua fonte. Ele observa mediante que poder tal coisa é feita. À parte de seu próprio poder, Deus não se interessa por nenhum outro. Ainda que fosse possível que o cristão fizesse algo melhor que a vontade de Deus, ele ainda condenaria a ação e consideraria o cristão ter pecado.

É verdade que todas as suas obras e aspirações são segundo a vontade de Deus? Ou são elas simplesmente sua própria decisão? Suas obras têm origem em Deus? Ou são elas realizadas segundo seu bom prazer? Todas as nossas ações independentes, não importa quão excelentes ou virtuosas pareçam, não são aceitáveis a Deus. Tudo o que é feito sem saber claramente a vontade de Deus é pecado aos olhos dele. Tudo o que é realizado sem depender dele também é pecado.

Os cristãos de hoje são muito capazes de fazer coisas, são muito ativos e realizam coisas boas em excesso! Entretanto, Deus não olha para a quantidade de boas obras que a pessoa pratica; interessa-se somente pelo quanto é feito por amor ao seu mandamento. Ele não indaga quanto a pessoa trabalhou para ele; simplesmente pergunta quanto depende dele. O prazer de Deus não se encontra na muita atividade, e sim na dependência que a pessoa tem dele. Não importa quão zelosamente você trabalhe para o Senhor, sua obra será em vão se não for feita por ele em você. Devemos fazer esta pergunta a nós mesmos: é a obra que faço realizada pelo Senhor em mim, ou sou eu mesmo quem a efetua? Todas as obras independentes de Deus são pecado.

Por favor, tenha em conta que podemos pecar até mesmo enquanto salvamos almas. Se não dependermos de Deus, mas confiarmos em nosso próprio entendimento e experiência do evangelho, aos olhos de Deus estaremos pecando, e não salvando almas, ainda que gastemos tempo e energia persuadindo as pessoas a crerem no Senhor! Se, em vez de perceber nossa total fraqueza e depender inteiramente do poder do Senhor, tentarmos edificar os santos com a força de nosso conhecimento bíblico e da excelência de nossa sabedoria, aos olhos de Deus estaremos pecando enquanto pregamos! Por melhores que todos os atos de amor e compaixão possam parecer ao público, se forem realizados por nosso impulso ou força, aos olhos de Deus são pecaminosos. O Senhor não pergunta se fizemos um bom trabalho; somente examina se confiamos nele. Tudo o que é feito por nossa própria vontade será queimado no dia do juízo de Cristo, mas o que é realizado em Deus permanecerá.

O significado do fruto da árvore do conhecimento do bem e do mal não é outro senão estar ativo fora de Deus, procurar o que é bom segundo o entendimento da própria pessoa, estar com pressa e ser incapaz de esperar a fim de obter o conhecimento que Deus ainda não deu; não confiar no Senhor, mas procurar avançar pelo nosso próprio caminho. Tudo isso pode ser resumido numa expressão:

independência de Deus. Esse foi o primeiro pecado do homem. Deus não tem prazer no homem que se aparta dele e age independentemente. Pois ele deseja que o homem confie nele.

O propósito do Senhor ao salvar o homem e também ao criá-lo é que o homem confie em Deus. Eis o significado da árvore da vida: confiança. "De toda árvore do jardim comerás livremente", disse Deus a Adão; "mas da árvore do conhecimento do bem e do mal não comerás". Dentre todas as árvores cujos frutos podiam ser comidos, Deus menciona especialmente a árvore da vida em forte contraste com a árvore do conhecimento do bem e do mal. "[...] e também a árvore da vida no meio do jardim e a árvore do conhecimento do bem e do mal." Ao notarmos a menção particular de Deus à árvore da vida, devemos reconhecer que, de todas as árvores comestíveis, essa é a mais importante. É dessa árvore que Adão deveria ter comido primeiro. Por que é isso assim?

A árvore da vida representa a vida de Deus, a vida não criada de Deus. Adão é um ser criado, portanto não possui essa vida não criada. Embora a essa altura ele ainda esteja sem pecado, não obstante é apenas natural, uma vez que não recebeu a vida santa de Deus. O propósito de Deus é que Adão escolha o fruto da árvore da vida por sua própria vontade para que se relacione com Deus pela vida divina. Assim, Adão, de simples criatura de Deus, chegaria ao novo nascimento. O que Deus requer de Adão é que negue sua vida natural e se una a ele pela vida divina, destarte vivendo diariamente pela vida de Deus. Esse é o significado da árvore da vida. O Senhor queria que Adão vivesse por essa vida que não era dele originariamente.

Logo, temos aqui o sentimento distinto da dependência, confiança. Pois, quando o ser criado vive por sua vida natural, não precisa depender de Deus. Essa vida criada é autônoma e autopreservadora. Mas, para que o ser criado viva pela vida do Criador, ele tem de ser totalmente dependente, pois a vida que levaria então não seria sua, mas de Deus. Ele não poderia ser independente de Deus, mas teria de manter constante comunhão com ele e confiar completamente nele. Essa é a vida que Adão não tem em si mesmo, portanto deveria confiar em Deus a fim de recebê-la. Além disso, essa vida — se recebida por Adão — é a que ele não poderia levar por seu próprio esforço; por isso, teria de depender de Deus continuamente a fim de conservá-la. Assim, a condição para conservá-la se tornaria a mesma condição para recebê-la. Adão teria de depender dia a dia a fim de viver essa vida santa de uma maneira prática.

Tudo isso que temos dito com respeito a Adão, Deus também exige de nós. Na época de Adão, a vida de Deus e a vida do homem estavam presentes no jardim. Hoje, a vida divina e a vida humana estão presentes em nós. Nós, os que cremos no Senhor e somos salvos, nascemos de novo — isto é, nascemos de Deus; e assim temos uma vida de relacionamento com Deus. A vida da criatura está em nós, mas também está a vida do Criador. O problema atual então é se vivemos ou não pela vida divina — se nossa vida depende ou não totalmente de Deus. Assim como nossa carne não pode viver se estiver separada de sua vida natural, da mesma forma nossa vida espiritual não pode prosseguir se estiver separada da vida do Criador.

Deus não deseja que tenhamos nenhuma atividade fora dele. Deseja que morramos para nós mesmos e sejamos dependentes dele como se não pudéssemos nos mover sem ele. Ele não gosta que iniciemos nada sem sua ordem. Ele se agrada de que realmente percebamos nossa inutilidade e confiemos nele de todo o coração. Devemos resistir a todas as ações independentes de Deus. As obras que são feitas sem oração e espera, sem procurar conhecer claramente a vontade divina, sem confiar inteiramente em Deus, e sem examinar nossa consciência a fim de determinar se o ego ou a impureza estão misturados, tudo isso provém de nós mesmos e é pecado aos olhos de Deus.

O Senhor não pergunta quão boa é nossa obra; ele somente pergunta quem fez a obra. Ele não será movido pelo pequeno bem que você e eu façamos. Ele não está satisfeito com nada, a não ser sua obra. Você pode estar ativamente engajado na obra dele e trabalhar muito; pode até mesmo sofrer por causa de Cristo e de sua igreja. Contudo, se não tiver certeza de que é Deus que deseja que você realize a obra, ou se não compreender completamente sua própria ignorância e incompetência e com muito temor e tremor se lançar sobre o Senhor, então, como Adão, você estará pecando aos olhos de Deus. Oh, cesse sua própria obra! Não pense que pode fazer tudo o que seja bom. Você pode labutar e se esforçar segundo seu próprio prazer, mas terá pouca ou nenhuma utilidade espiritual.

Todos nós sabemos que o incrédulo, não importa quão boa seja sua conduta, não pode ser salvo por ela. Não conhecemos nós tantos não cristãos cuja conduta é recomendável? São amáveis, gentis, humildes, pacientes; muitas vezes ultrapassam em virtude a média dos cristãos. Por que, apesar da conduta invejável, ainda não são salvos? Porque todo esse bem provém de sua vida natural, logo não podem obter a aprovação de Deus. Deus somente se agrada do que pertence a ele; do que procede dele. Consequentemente, incrédulo algum pode agradar a Deus com seus próprios feitos.

O mesmo se aplica ao cristão. Pensamos poder agradar ao Senhor com nossas obras boas e zelosas? Precisamos compreender que, a não ser pela vida que Deus nos deu, não existe a mínima diferença entre o nosso ego e o ego dos incrédulos. Os egos são absolutamente os mesmos. A vida natural do pecador e a vida natural do santo não diferem uma da outra. Se as boas ações realizadas pelos incrédulos, mediante essa vida natural, são rejeitadas por

Deus, também o será o bem praticado mediante a vida natural pelos cristãos.

É triste que esqueçamos tão prontamente a lição que antes tínhamos aprendido! Quando cremos no Senhor Jesus, Deus convenceu-nos por seu Espírito Santo de que nossa justiça, a seus olhos, para nada servia. Depois de sermos salvos, entretanto, de alguma forma voltamos a imaginar que agora nossa própria justiça é útil e agradável a Deus. Deveríamos saber que, pelo fato de sermos salvos e nascidos de novo, nossa velha vida não melhorou nem mudou em nada. A não ser pela vida nova recém-obtida de Deus, nosso antigo ego permanece o mesmo.

O princípio que aprendemos na regeneração deveria ser mantido continuamente. Uma vez que nós, quando incrédulos, não fomos salvos por nossas obras independentes, da mesma forma, nós, os cristãos, não ganharemos a aprovação de Deus por nossas ações independentes. Tudo o que é feito fora da dependência de Deus é desagradável a ele. Quer proceda do pecador, quer do santo, a ação independente é rejeitada por Deus.

Você pode se gloriar de quanto, como cristão, tem feito, quanto tem trabalhado, e até mesmo quanta bênção e quanto fruto tem experimentado; ainda assim, aos olhos de Deus tudo isso não passa de obras mortas e sem utilidade alguma. Pois todas elas são realizadas por você mesmo, e não pela operação divina em você. Quão difícil é depender de Deus! Quão difícil é para os sábios confiarem! Quão árduo é para os talentosos confiar em Deus! Muitas vezes tornamo-nos ativos sem esperar que Deus nos dê força especial. É-nos tremendamente difícil negar o nosso talento, tornar-nos totalmente inúteis perante Deus e não depender de nossa capacidade mas totalmente do Senhor. O Senhor deseja que neguemos a nós mesmos e a nosso poder e que reconheçamos a nossa fraqueza e a inutilidade de nossas palavras e ações. A não ser que primeiro chegue o suprimento de Deus, não podemos dizer palavra alguma nem realizar nada. É assim que ele deseja que dependamos dele. Pois o que temos em nós mesmos, sem dúvida, nos afastará de Deus. Nosso talento, nossa sabedoria, nosso poder e nosso conhecimento, tudo tenderá a fortalecer nossa autoconfiança, excluindo nossa confiança nele. A menos que proposital e persistentemente neguemos nossa capacidade, jamais dependeremos de Deus.

Quando pequena, a criança depende de seus pais para tudo; mas quando cresce possui em si mesma tal poder e sabedoria que procura a independência em vez da dependência. Nosso Deus deseja que tenhamos com ele um relacionamento permanente como crianças para que possamos continuamente confiar nele.

Você acha que agora tem poder? Que já foi santificado? Que já foi enchido permanentemente com o Espírito Santo? Que suas obras já produziram frutos? Se assim for, essa maneira de pensar o privará de um coração dependente. É preciso que você mantenha a atitude e a postura de desamparo perante os homens a fim de fazer real progresso no caminho de Deus. Se permitir que o ego penetre sutilmente de modo que você se considere como tendo tudo, deve compreender que não mais estará dependendo de Deus.

Eu, que agora falo com você, não tenho certeza alguma quanto a meu futuro. Não sei se ainda estarei pregando o evangelho no próximo ano. A menos que Deus me conserve até o ano que vem, pode ser que eu não possa servir; deveras, posso até mesmo nem seguir Cristo. Digo isso com um coração angustiado, pois sei que não tenho meios de conservar a mim mesmo. Se Deus não me conservar, confesso não ser por mim mesmo capaz de estar em pé no lugar humilde de hoje. Lembro-me de como estive a ponto de separar-me de Cristo muitas vezes desde o dia em que me tornei cristão, mas louvo a Deus por ter-me conservado.

Permita-me dizer-lhe que, a não ser mediante o depender de Deus e confiar nele momento a momento, não conheço outra maneira de viver uma vida santificada. Se não dependermos do Senhor, não poderemos saber quanto tempo continuaremos com ele. Sem depender de Deus, nada podemos fazer, tampouco podemos viver como cristãos por um único dia.

Será que realmente percebemos isso? Ou ainda temos um pequeno poder com o qual sustentar a nós mesmos e ter sucesso em muitas coisas? Seja manifesto a todos que a autoconfiança é o inimigo da dependência de Deus. Deus deve levar-nos a nosso fim para que saibamos não existir bem algum em nós. Não fosse a sua graça, teríamos derrotas de todos os lados. Devemos chegar ao ponto em que percebamos ser absolutamente indignos e não ter força alguma. Não ousamos ser autoconfiantes, nem ousamos tomar qualquer ação independente, fora de Deus. Devemos continuar prostrados perante ele com temor e tremor, buscando sua graça. De outra forma, nossa natureza fará que nos consideremos competentes, tendo prazer em nossas próprias atividades e recusando-nos a depender de Deus.

Ao olhar para os anos passados, posso ver que muitos irmãos a quem conheci se desviaram. Ainda me lembro do que certo irmão me disse um dia: "Senhor, agora conhecemos as Escrituras que o senhor prega; temos feito grande progresso e não estamos muito distantes de seus obreiros". Que autoconfiança! Mas onde estão esses irmãos hoje? Também me lembro de outro irmão que me disse recentemente: "Irmão Nee, pode ser que eu não conheça muita coisa, mas pelo menos conheço os ensinamentos bíblicos...". Ao ouvir isso, imediatamente percebi que esse irmão corria sério perigo. Hoje, ele também se desviou do caminho estreito. São muitas as tragédias similares que podemos recordar durante nossa vida. A causa principal de tais tragédias é a autoconfiança. A autoconfiança é a causadora de todas as derrotas.

O que Deus deseja que saibamos hoje é que não podemos depender absolutamente de nosso ego. Deseja que confessemos nossa fraqueza e inutilidade em todo o tempo. Deseja que tenhamos consciência do que nunca tivemos antes — isto é, deseja que estejamos cônscios de nossa total insuficiência e que admitamos que, se não fosse por seu poder conservador, não poderíamos permanecer nem um momento; e que, se não fosse por sua fortaleza, nada poderíamos fazer. Possamos nós ser quebrantados pelo Senhor hoje para que não ousemos tomar nenhuma ação independente ou abrigar nenhuma atitude fora dele. De outra forma, o fim inevitável será a vaidade e a derrota. Que Deus tenha misericórdia de nós!

9

O CAPACETE DA SALVAÇÃO

> Do solo fez o SENHOR Deus brotar toda sorte de árvores agradáveis à vista e boas para alimento; e também a árvore da vida no meio do jardim e a árvore do conhecimento do bem e do mal [...] mas da árvore do conhecimento do bem e do mal não comerás; porque, no dia em que dela comeres, certamente morrerás (Gênesis 2.9,17).

> Vendo a mulher que a árvore era boa para se comer, agradável aos olhos e árvore desejável para dar entendimento, tomou-lhe do fruto e comeu e deu também ao marido, e ele comeu. Abriram-se, então, os olhos de ambos; e, percebendo que estavam nus, coseram folhas de figueira e fizeram cintas para si (Gênesis 3.6,7).

> Porque a nossa glória é esta: o testemunho da nossa consciência, de que, com santidade e sinceridade de Deus, não com sabedoria humana, mas, na graça divina, temos vivido no mundo e mais especialmente para convosco. (2Coríntios 1.12).

> Tomai também o capacete da salvação e a espada do Espírito, que é a palavra de Deus (Efésios 6.17).

> E vos renoveis no espírito do vosso entendimento (Efésios 4.23).

> E não vos conformeis com este século, mas transformai-vos pela renovação da vossa mente, para que experimenteis qual seja a boa, agradável e perfeita vontade de Deus (Romanos 12.2).

> Porque os que se inclinam para a carne cogitam das cousas da carne; mas os que se inclinam para o Espírito, das cousas do Espírito. Porque o pendor da carne dá para a morte, mas o do Espírito, para a vida e paz (Romanos 8.5,6).

Primeiro

No meio de todas as árvores do jardim do Éden, encontravam-se a árvore da vida e a árvore do conhecimento do bem e do mal. Deus ordenara a Adão: "[...] De toda árvore do jardim comerás livremente, mas da árvore do conhecimento do bem e do mal não comerás; porque, no dia em que dela comeres, certamente morrerás" (Gênesis 2.16,17). Isso indica quão opostas eram essas duas árvores. De um lado, está a árvore da vida; do outro, a árvore do conhecimento do bem e do mal. Podemos, portanto, dizer que uma é a árvore da vida e a outra, a árvore da morte, pois, ao comer da árvore do conhecimento do bem e do mal, o homem morre.

Podemos notar um resultado tremendo na vida de Adão e Eva depois de terem pecado: ganharam conhecimento; tendo comido do fruto, ficaram conhecendo o bem e o mal. Em outras palavras, o primeiro efeito subjetivo no homem depois da Queda foi o aumento da capacidade de funcionar da mente. Antes da Queda, o homem possuía um tipo de mente; depois da Queda, seu cérebro começou a conter maior porção de coisas que era do propósito original de Deus que ele tivesse com o tempo — mas não da maneira pela qual os homens, nessa época, obtiveram tais coisas. Por esse motivo, Paulo menciona em Efésios 6.17 que o cristão deve tomar o capacete da salvação. Essa passagem confirma a necessidade da libertação da mente humana. Muitos, depois de crerem no Senhor Jesus, sofrem mudanças de vida, mas sua mente ainda precisa ser liberta. Se a mente não for liberta, ficará sem proteção na época de conflito espiritual. Daí ser da maior importância que tomemos o capacete da salvação.

Ocorre um fenômeno um tanto espantoso entre os filhos de Deus: encontramos muitas pessoas de bom coração e bom comportamento que ainda levam consigo a mente que pertence à velha natureza. Em outras palavras, sua vida é a vida de Cristo, mas sua mente é a de Adão. Isso diminui sua capacidade de conhecer a vontade de Deus. Portanto, a fim de medir a vida espiritual de uma pessoa, precisamos somente medir sua cabeça. Ao grau em que sua mente é liberta, a esse grau a pessoa é liberta de Adão e, por conseguinte, liberta da velha criatura. A diferença básica entre o viver na velha criatura e o viver na nova pode ser vista no relacionamento entre a mente da pessoa e Deus.

Segundo

"[...] Não com sabedoria humana, mas, na graça divina, temos vivido no mundo [...]" (2Coríntios 1:12).

Como precisamos pedir que Deus nos livre de nossa própria inteligência! O princípio do viver cristão é confiar na vontade de Deus, e não na inteligência humana; depender da graça de Deus, e não de nossa própria sabedoria. É necessário que aprendamos essa lição.

Suponhamos que exista algo que você tem de fazer, mas não sabe como fazê-lo, ou se não deve fazê-lo de modo nenhum. Você não tem ideia alguma de como proceder. De modo que você começa a deliberar sobre o resultado da ação que deve tomar. Se fizer tal coisa desta ou daquela maneira, o que dirão as pessoas? De modo que você tenta ser inteligente. Como? Dizer ou fazer o que causará o mínimo de problemas e evitará o máximo de oposição. Esse tipo de conduta significa que a pessoa esqueceu-se de que os filhos de Deus não vivem na terra pela inteligência humana. Ser cristão é bastante simples. A pessoa simplesmente deve fazer a pergunta: "Deus, o que queres que eu faça?".

Está claro que a árvore do conhecimento do bem e do mal ainda se encontra entre os filhos de Deus hoje. Muitos ainda se alimentam de seus frutos diariamente. Não comem da árvore da vida; pelo contrário, não cessam de perguntar: "O que é melhor?" — pergunta esta que procede da árvore do conhecimento do bem e do mal. Entretanto, Paulo diz-nos que hoje nossa vida perante Deus é muito simples, não dependemos da sabedoria humana, mas da graça divina. Somos responsáveis por uma coisa somente: fazer a vontade de Deus.

Terceiro

> [...] transformai-vos pela renovação da vossa mente, para que experimenteis qual seja a boa, agradável e perfeita vontade de Deus (Romanos 12.2).

Que cada um de nós se lembre de que é responsável somente pela vontade de Deus, e que a responsabilidade de Deus é fazer que experimentemos a consequência certa depois de termos feito sua vontade. Temos a tendência de procurar o caminho agradável. Mas, com referência a isso, descobrimos que o Filho de Deus trilhou a estrada mais difícil enquanto na terra, fez-se responsável pela vontade de Deus, e Deus, por sua vez, foi responsável por dar-lhe a estrada difícil. Ao testificarmos que a sabedoria humana do cristão é totalmente inútil, não sugerimos que ele deva ir em frente e praticar coisas tolas. Pois nem sua sabedoria humana nem a própria tolice possuem qualquer utilidade para Deus. Deus não necessita de nossa estultícia, assim como não precisa de nossa sabedoria. Nem todas as coisas tolas são corretas; somente coisas que procedem da vontade divina são corretas. Devemos perceber tal distinção.

Não estamos corretos de modo nenhum quando deliberadamente dizemos algumas palavras tolas ou praticamos ações insensatas. Nossa responsabilidade é fazer a vontade de Deus. O que quer que o Senhor deseje que eu faça, devo fazê-lo. O resultado é responsabilidade dele, não sua nem minha.

Assim, devemos pedir que Deus nos livre de nossa mente: que nosso pensar possa ser salvo ao tomarmos o capacete da salvação. Sempre que encontrarmos alguma coisa, primeiro devemos confessar a Deus: "Deus, minha mente ou minha inteligência não é o princípio do meu viver cristão. Tudo o que me importa é procurar a tua vontade". Isso não significa que você deva fingir ser uma pessoa tola. Deixe-me dizer-lhe de novo que Deus não tem utilidade nem para o tolo nem para o sábio. Insistimos somente em que os cristãos neste mundo não devem viver diante da deliberação de sua mente, mas pela boa, agradável e perfeita vontade de Deus.

Algumas pessoas possuem tino de comerciantes. Sempre que alguma coisa lhes vem à mente, sua primeira reação é calcular o ganho ou a perda pessoal. Esse traço é característico das coisas espirituais e também das seculares. Tal mente precisa ser admoestada.

O fator decisivo das coisas espirituais não é o ganho ou a perda pessoal, mas a vontade de Deus. Oh, que realmente possamos perceber que temos um rico princípio pelo qual viver, e este se encontra "na graça de Deus" — em fazer a vontade divina.

Quarto

"E vos renoveis no espírito do vosso entendimento" (Efésios 4.23).

Isso quer dizer que a mente humana precisa de renovação. Romanos 12.2 dá o mesmo parecer: "[...] transformai-vos pela renovação da vossa mente [...]". O resultado é que "experimenteis qual seja a boa, agradável e perfeita vontade de Deus". Depois de sua mente ser renovada, você pode provar a vontade de Deus. De modo que conhecer ou não a vontade de Deus não é questão de método, mas de pessoa. Muitos estão familiarizados com métodos de conhecer a vontade de Deus, mas sua pessoa não é correta; consequentemente, não podem conhecer a vontade dele.

Que tipo de pessoa pode conhecer a vontade de Deus? A pessoa a quem Deus libertou do poder mental. Sua mente deve ser renovada antes que você prove a vontade de Deus. Conserve isto sempre em mente: a parte mais forte da vida natural do homem é seu aparelho pensante. Algumas pessoas podem ter sua força na vontade, e outras, na emoção. A maioria das pessoas, porém, tem sua força natural na mente. Ao conhecer uma pessoa com uma mente vigorosa, você conhece seu pensamento. À medida que você se aproxima dela, seus pensamentos começam a fluir. Seu pensamento é maior do que seu espírito. Parece ser muito inteligente, pois seu caráter é refletido pelo pensamento. Se isso que é sua força não for quebrantado pelo Senhor, não terá maneira de conhecer a vontade de Deus. Da mesma forma, devemos pedir que o Senhor faça que não confiemos no poder de nosso entendimento.

A pessoa pode continuamente confessar quão errada é sua vida carnal ou natural e o tempo todo dar valor ao seu entendimento e opinião. Embora admita sua fraqueza com a boca, o coração ainda está cheio dos seus próprios pensamentos e sabedoria. Pensa que seu ponto de vista é superior ao dos outros e que seu modo de vida é melhor do que o dos outros. Sua inteligência não foi quebrantada pelo Senhor, e seu pensamento não foi mudado. Por causa disso, essa pessoa não tem como conhecer a vontade de Deus. Há pessoas cujos lábios estão cheios da vontade de Deus, mas na realidade nada conhecem dela. Lembremo-nos de que, se a pessoa não estiver correta, não tem possibilidade de conhecer a vontade divina. O Senhor deve executar a obra básica da cruz na vida dos cristãos, especialmente na renovação do seu entendimento. Ele os quebrantará de tal modo que não mais pensem ser mais inteligentes ou melhores do que o restante. Depois de Deus lidar com sua inteligência, podem então provar e conhecer a vontade de Deus.

O problema, muitas vezes, está em substituir a vontade de Deus pelo entendimento do homem. Nossa mente, portanto, precisa de renovação. A pessoa que não conhece a cruz, não conhece a vontade de Deus. Assim, a questão toda resume-se na necessidade da cruz. Você sabe realmente como a cruz lida com sua vida natural? Tem alguma ideia de como Deus lida com você como pessoa? Um dia, mediante a graça do Senhor, você será levado ao lugar onde poderá ver a sua falta de confiança e admitir quão ineficaz é seu pensamento; então não ousará crer cm si mesmo nem terá em grande consideração sua força natural. Nesse dia, muitas coisas se tornarão claras. À medida que Deus lidar com sua vida natural, você começará a ver claramente a vontade dele.

Quinto

> Porque os que se inclinam para a carne cogitam das cousas da carne; mas os que se inclinam para o Espírito, das cousas do Espírito. Porque o pendor da carne dá para a morte, mas o do Espírito, para a vida e paz (Romanos 8.5,6).

Qual é o pendor da carne? Tem uma característica principal: crer em si mesmo como sabedor de tudo e capaz de tudo. O pendor do espírito no cristão tem sua característica principal também: não crer em si mesmo nem ousar dizer ou fazer nada, mas sempre estar em temor e tremor. O pendor da carne está constantemente ocupado, apressado, cheio de sabedoria própria e inquieto. O resultado é a morte. O pendor do espírito não é controlado pela sabedoria carnal, mas governado pelo mandamento de Deus; não confia na carne nem ousa seguir sua própria ideia, e o resultado é a vida e paz. Nossa mente precisa ser libertada para que não mais sejamos dirigidos pelo pensamento carnal, mas guiados pela vontade espiritual.

Sexto

"[...] não com sabedoria humana, mas, na graça divina, temos vivido no mundo e mais especialmente para convosco" (2Coríntios 1.12).

Note esta última expressão: "mais especialmente para convosco". Os coríntios eram inteligentes, mas Paulo declara que não devemos viver pela sabedoria humana, e sim pela graça divina, e isso mais especialmente para com pessoas como os inteligentes coríntios. Louvado seja o Senhor, não precisamos comparar nossa inteligência com pessoas inteligentes. Quanto mais calculistas forem os outros, tanto menos inteligência usaremos; vivemos pela graça divina. Especialmente nas coisas de Deus e da igreja, estamos decididos a não usar a sabedoria nem a inteligência humana.

Portanto, precisamos aprender a lição de nunca pôr nossa mente carnal nas coisas espirituais. Não temos tanta certeza de que essa mente carnal é eficaz em outros assuntos, mas temos certeza disto:

a mente carnal é totalmente inútil nas coisas espirituais. Os métodos e táticas carnais, a manobra e a inteligência carnal podem produzir resultados em outras áreas, mas no reino espiritual são totalmente ineficazes. Na casa de Deus, não é a mão nem a sabedoria do homem que têm valor, mas a vontade de Deus. O importante não é o que o homem diz ou pensa, mas o que diz o Senhor. Perguntaremos a Deus: "Senhor, que padrão desejas mostrar-nos? Pois não poderemos ter nenhum outro padrão, a não ser o teu".

Aprendamos a fazer a vontade de Deus e a não depender de nosso próprio entendimento. Quando realmente aprendermos a fazer a vontade de Deus, nos entregaremos a ele a fim de que nos leve por todo e qualquer problema que possamos encontrar no processo. E, daí para frente, pediremos que Deus nos faça viver não na sabedoria humana, mas na graça divina, realizando sua vontade.

Esta obra foi composta em *Adobe Garamond*
e *Benguiat Bk BT* e impressa por Imprensa da Fé
sobre papel *Offset* 63 g/m² para Editora Vida.